UPROWADZENIE

THEODORE BOONE

Bestsellery JOHNA GRISHAMA

APELACJA

BRACTWO

CZAS ZABIJANIA

CZUWANIE

FIRMA

KLIENT

KOMORA

KRÓL AFER

ŁAWA PRZYSIĘGŁYCH

MALOWANY DOM

NIEWINNY

OBROŃCA ULICY

OMINĄĆ ŚWIĘTA

OSTATNI SĘDZIA

POWRÓT DO FORD COUNTY

PRAWNIK

RAINMAKER

RAPORT PELIKANA

TESTAMENT

THEODORE BOONE. MŁODY PRAWNIK

WEZWANIE

WIELKI GRACZ

WSPÓLNIK

ZAWODOWIEC

ZEZNANIE

JOHN GRISHAM

UPROWADZENIE

THEODORE BOONE

Przekład
MACIEJ NOWAK-KREYER

AMBER

Redakcja stylistyczna
Ewa Turczyńska

Korekta
Jolanta Kucharska
Renata Kuk

Projekt graficzny okładki
Małgorzata Cebo-Foniok

Zdjęcia na okładce
Copyright © Colin Thomas (postać chłopca)
Copyright © Getty Images (postać mężczyzny)
Copyright © Alamy (budynek)

Zdjęcie autora
Copyright © Bob Krasner

Druk
ABEDIK S.A.

Tytuł oryginału
Theodore Boone: The Abduction

ISBN 978-83-241-4055-8

Warszawa 2011. Wydanie I

Wydawnictwo AMBER Sp. z o.o.
02-952 Warszawa, ul. Wiertnicza 63
tel. 620 40 13, 620 81 62

www.wydawnictwoamber.pl

Rozdział 1

April Finnemore została uprowadzona w głuchą noc, gdzieś między dwudziestą pierwszą piętnaście, kiedy po raz ostatni rozmawiała z Theo Boone'em, a trzecią trzydzieści rano, kiedy do sypialni weszła jej matka i zorientowała się, że córki nie ma. Najwyraźniej uprowadzono ją w pośpiechu; ktokolwiek porwał April, nie pozwolił jej pozabierać rzeczy. Zostawiła laptop. W pokoju panował jako taki porządek, ale trochę ubrań leżało rozrzuconych, więc trudno było określić, czy w ogóle miała szansę się spakować. Zdaniem policji prawdopodobnie nie miała. Szczoteczka do zębów wciąż stała przy umywalce. Plecak leżał obok łóżka. Piżama – na podłodze, więc przynajmniej April pozwolono się przebrać. Matka April, kiedy akurat nie płakała ani nie krzyczała, opowiedziała policji, że w szafie brak ulubionego biało-niebieskiego swetra córki. Zniknęły także jej ulubione sportowe buty.

Policja szybko odrzuciła hipotezę, że April po prostu uciekła z domu. April nie miała żadnych powodów, żeby uciekać, zapewniała matka. Zresztą nie spakowała rzeczy potrzebnych do tego, żeby taka ucieczka się udała.

Szybki obchód domu nie ujawnił żadnych widocznych śladów włamania. Okna były pozamykane, trzy pary drzwi na dole też. Ktokolwiek porwał April, był na tyle ostrożny, że wychodząc, zamknął za sobą drzwi na klucz. Policjanci, po mniej więcej godzinnych oględzinach i wysłuchaniu pani Finnemore, postanowili porozmawiać także z Theo Boone'em. Był przecież najlepszym przyjacielem April, a nocą, przed pójściem spać, zwykle rozmawiali przez telefon albo przez Internet.

W domu Boone'ów telefon rozdzwonił się o czwartej trzydzieści trzy – tak wskazywał elektroniczny budzik przy łóżku rodziców. Pan Woods Boone, który mocno nie sypiał, chwycił słuchawkę, a pani Marcella Boone obróciła się na drugi bok i zaczęła się zastanawiać, kto wydzwania o takiej porze. Gdy pan Boone powiedział: „Tak, panie sierżancie", pani Boone całkiem się obudziła i wygramoliła z łóżka. Posłuchała jego rozmowy, szybko zrozumiała, że to ma coś wspólnego z April Finnemore, i poczuła się już kompletnie skołowana, gdy mąż oznajmił:

– Jasne, panie sierżancie, możemy być za piętnaście minut.

Gdy się rozłączył, zapytała:

– Woods, o co chodzi?

– Najwyraźniej April została uprowadzona i policja chce porozmawiać z Theo.

– Wątpię, żeby to on ją uprowadził.

– Tak, ale jeśli teraz nie ma go na górze, to może być problem.

Theo był na górze, w swoim pokoju, spał twardo, nie obudził go dzwonek telefonu. Gdy wciągnął już dżinsy i T-shirt, powiedział rodzicom, że dzień wcześniej dzwonił do April z komórki i tak jak zwykle rozmawiali kilka minut.

Kiedy już jechali przez Strattenburg w ciemnościach przedświtu, Theo nie potrafił myśleć o niczym innym, jak tylko o April i jej żałosnym domu, skłóconych rodzicach i wymęczonych bracie i siostrze, którzy uciekli, jak tylko wystarczająco dorośli. April była najmłodszym z trójki dzieci dwojga ludzi nieprzejmujących się posiadaniem rodziny. Rodziców miała szurniętych, jak zresztą sama mówiła, a Theo całkowicie się z nią zgadzał. Oboje mieli wcześniej wpadki za narkotyki. Matka hodowała kozy na małej farmie pod miastem i robiła ser, kiepski, zdaniem Theo.

Rozwoziła go po mieście starym karawanem pomalowanym na żółto, z małpką czepiakiem na miejscu pasażera. Ojciec, podstarzały hipis, grał w kiepskiej garażowej kapeli razem z garstką innych niedobitków z lat osiemdziesiątych. Nie miał stałej pracy i często znikał na całe tygodnie. Finnemore'owie ciągle byli w separacji i ciągle mówili o rozwodzie.

April ufała Theo i opowiadała mu rzeczy, których obiecał nikomu nie powtarzać.

Właścicielem domu Finnemore'ów był ktoś inny. Rodzice April go wynajmowali, a April nienawidziła, bo nie chciało im się o niego dbać. Stał w starszej część Strattenburga, przy ciemnej ulicy, w jednej linii z innymi powojennymi budynkami, które pamiętały lepsze dni. Theo przyszedł tam tylko raz, na niezbyt udane przyjęcie urodzinowe, które matka April wyprawiła ze dwa lata temu. Większość zaproszonych dzieciaków się nie zjawiła. Nie puścili ich rodzice. Rodzina Finnemore'ów miała właśnie taką opinię.

Kiedy Boone'owie zjawili się na miejscu, na podjeździe były już dwa radiowozy. Sąsiedzi stali na gankach i przyglądali się z drugiej strony ulicy.

Boone'owie weszli do środka, czując się dosyć niezręcznie. Pani Finnemore – miała na imię May, a swoje dzieci nazwała April, March i August* – sie-

---

* May, April, March, August – angielskie nazwy miesięcy: maj, kwiecień, marzec, sierpień (przyp. red.).

działa na sofie w salonie i rozmawiała z umundurowanym policjantem. Krótko przedstawiono się nawzajem. Pan Boone jeszcze nigdy wcześniej nie spotkał matki April.

– Theo! – zawołała pani Finnemore, bardzo dramatycznie. – Ktoś zabrał naszą April!

Potem wybuchnęła płaczem i wyciągnęła ręce do Theo, żeby go objąć. Nie miał najmniejszej ochoty na obejmowanie, ale uprzejmie przeszedł cały rytuał. Matka April, jak zwykle, miała na sobie obszerne powłóczyste ubranie, które bardziej przypominało namiot niż sukienkę. Było w kolorze jasnobrązowym, zrobione z czegoś, co wyglądało jak płótno workowe. Długie siwiejące włosy zebrała w ciasny kucyk. Mimo jej dziwactwa Theo zawsze zdumiewało, jaka jest ładna. W ogóle nie starała się wyglądać atrakcyjnie – nie to co jego matka – ale niektórych rzeczy nie sposób ukryć. Była bardzo twórcza, poza wyrabianiem koziego sera chętnie malowała i zajmowała się garncarstwem. April odziedziczyła po niej dobre geny – ładne oczy i zamiłowanie do sztuki.

Kiedy pani Finnemore już się uspokoiła, pan Boone zapytał policjanta:

– Co się stało?

Policjant odpowiedział, szybko streszczając tych parę informacji, jakie na razie mieli.

– Rozmawiałeś z nią wczoraj wieczorem? – spytał policjant Theo. Nazywał się Bolick, sierżant Bolick. Theo poznał go, bo widywał go koło sądu. Zresztą znał większość policjantów ze Strattenburga, tak jak większość prawników, sędziów, woźnych i urzędników sądowych.

– Tak, proszę pana. Zgodnie z zapisem z mojego telefonu rozmawialiśmy o dwudziestej pierwszej piętnaście. Rozmawiamy prawie co wieczór, przed pójściem spać – odpowiedział Theo.

Bolick uchodził za przemądrzałego. Nie zanosiło się, że Theo go polubi.

– Jakie to słodkie. Nie powiedziała ci czegoś, co by się tutaj przydało? Martwiła się? Bała się?

Theo znalazł się w kropce. Nie mógł skłamać policjantowi, ale nie mógł też wyjawić tajemnicy, o której obiecał nie mówić nikomu. Więc trochę uchylił się od odpowiedzi.

– Niczego takiego sobie nie przypominam.

Pani Finnemore przestała już płakać. Wpatrywała się w Theo, a oczy jej błyszczały.

– O czym rozmawialiście? – dopytywał się sierżant Bolick.

Do pokoju wszedł jakiś detektyw po cywilnemu i też słuchał uważnie.

– O tym, co zwykle. O szkole, o lekcjach do odrobienia. Nie pamiętam wszystkiego. – Theo naoglądał się wystarczająco dużo procesów, by wiedzieć, że odpowiedzi często powinny być niejasne i że „nie pamiętam” i „niczego takiego sobie nie przypominam” często świetnie się sprawdza.

– Rozmawialiście przez Internet? – zapytał detektyw.

– Nie, proszę pana. Nie wczoraj wieczorem. Tylko przez telefon. – Często korzystali z Facebooka i wiadomości tekstowych, jednak Theo pamiętał, aby nie wyrywać się z informacjami. „Odpowiadaj tylko na konkretne pytanie”. Wiele razy słyszał, jak mama tak właśnie mówi swoim licznym klientkom.

– Jakieś ślady włamania? – zapytał pan Boone.

– Żadnych – odparł Bolick. – Pani Finnemore bardzo mocno spała, w sypialni na dole, niczego nie słyszała, a w pewnym momencie wstała, żeby zobaczyć, co u April. To właśnie wtedy zauważyła, że jej nie ma.

Theo popatrzył na panią Finnenmore, która znowu rzuciła mu przenikliwe spojrzenie. Wiedział, co się działo naprawdę, a ona wiedziała, że on wie. Problem polegał na tym, że nie mógł powiedzieć prawdy, bo to właśnie obiecał April.

A prawda była taka, że ostatnie dwie noce pani Finnemore spędziła poza domem. April została sama przerażona. Wszystkie drzwi i okna pozamykała tak szczelnie, jak tylko mogła; drzwi do sypialni zabarykadowała fotelem; przy łóżku miała stary kij bejsbolowy. Obok łóżka telefon, żeby szybko wybrać 911 – a na całym świecie nikogo poza Theo Boone'em, z kim mogłaby porozmawiać. Theo przyrzekł, że o niczym nie powie. Ojciec April wyjechał z miasta razem z zespołem. Matka łykała pigułki i odchodziła od zmysłów.

– Czy w ciągu kilku ostatnich dni April wspominała coś o ucieczce z domu? – zapytał Theo detektyw.

Och, tak. Bez przerwy. Chciała uciec do Paryża i studiować sztukę. Chciała uciec do Los Angeles i zamieszkać z March, starszą siostrą. Chciała uciec do Santa Fe i zostać malarką. Ciągle chciała gdzieś uciekać.

– Niczego takiego sobie nie przypominam – odparł Theo i powiedział prawdę, bo „w ciągu kilku ostatnich dni" mogło oznaczać prawie wszystko. Pytanie było więc zbyt ogólne, żeby wymagać dokładnej odpowiedzi. Mnóstwo razy słyszał coś takiego na procesach. Jego zdaniem sierżant Bolick i detektyw wypytywali go zdecydowanie zbyt niedbale. Jak dotąd nie zdołali przycisnąć Theo do muru, a on nie skłamał.

May Finnemore zalewała się łzami, dając wielkie płaczliwe przedstawienie. Bolick i detektyw pytali

Theo o jeszcze innych przyjaciół April, o to, jakie mogła mieć problemy, jak radziła sobie w szkole – i tak dalej. Odpowiadał konkretnie, bez zbędnych słów.

Z góry zeszła do salonu umundurowana policjantka. Usiadła obok pani Finnemore, która znowu się załamała i zaczęła rozpaczać. Sierżant Bolick skinął na Boone'ów, żeby poszli z nim z kuchni. Poszli, a razem z nimi detektyw. Bolick zerknął na Theo, potem odezwał się ściszonym głosem:

– Czy dziewczyna wspominała kiedyś o swoim krewnym w więzieniu w Kalifornii?

– Nie, proszę pana – odparł Theo.

– Jesteś pewien?

– Pewnie, że jestem pewien.

– O co tutaj chodzi? – szybko wtrąciła się pani Boone. Nie miała zamiaru stać spokojnie, gdy tak obcesowo przesłuchiwano jej syna. Pan Boone też był już gotowy do ataku.

Detektyw wyciągnął czarno-białe zdjęcie osiem na dziesięć. Pochodziło z policyjnej kartoteki i przedstawiało podejrzanego typa, kryminalistę jak się patrzy.

– Facet nazywa się Jack Leeper – poinformował Bolick. – To recydywista. Daleki kuzyn May Finnemore, jeszcze dalszy April. Wychowywał się tutaj, wyniósł się dawno temu, ma na koncie rozboje, drobne kradzieże, sprzedaż narkotyków i tak dalej. Dziesięć lat temu posadzili go w Kalifornii za porwanie, dostał dożywocie bez możliwości wcześniejszego zwolnienia. Uciekł dwa tygodnie temu. Dzisiaj po południu dostaliśmy informację, że może przebywać gdzieś w okolicy.

Theo spojrzał na złowrogą twarz Jacka Leepera i zrobiło mu się słabo. Jeśli ten zbir dopadł April, to miała niezłe kłopoty.

– Wczoraj wieczorem – ciągnął Bolick – około dziewiętnastej trzydzieści Leeper poszedł do koreańskiego sklepiku, cztery ulice stąd, kupił papierosy, piwo i dał się sfilmować kamerom ochrony. Żaden z niego spryciarz. Teraz wiemy na pewno, że jest w okolicy.

– Dlaczego miałby porwać April? – wypalił Theo.

W gardle miał sucho ze strachu, kolana prawie się pod nim uginały.

– Według władz więziennych z Kalifornii w jego celi znaleziono kilka listów od April. Pisywała do niego, pewnie było jej go żal, bo miał już nie wyjść z więzienia. Dlatego zaczęła z nim korespondować. Przeszukaliśmy jej pokój na górze i nie znaleźliśmy niczego, co mógłby do niej napisać.

– Nigdy ci o tym nie wspominała? – zapytał detektyw.

– Nigdy – odpowiedział Theo.

Nauczył się już, że dziwaczna rodzina April miała dużo tajemnic, a April wiele rzeczy zachowywała dla siebie.

Detektyw odłożył zdjęcie, a Theo poczuł ulgę. Nie chciał już nigdy więcej oglądać tej twarzy, ale wątpił, żeby zdołał ją kiedyś zapomnieć.

– Podejrzewamy – odezwał się sierżant Bolick – że April dobrze znała osobę, która ją uprowadziła. Bo jak inaczej wytłumaczyć brak śladów włamania?

– Pan myśli, że coś jej zrobił? – zapytał Theo.

– Theo, nie mamy jak się tego dowiedzieć. Facet większość życia spędził w więzieniu. Jest nieprzewidywalny.

– Ale przynajmniej – dodał detektyw – zawsze dawał się złapać.

– Jeśli April jest z nim, to się odezwie – powiedział Theo. – Znajdzie jakiś sposób.

– Wtedy, proszę, daj nam znać.

– Nie ma sprawy.

– Przepraszam, panie sierżancie – odezwała się pani Boone. – Ale myślałam, że w takich sprawach najpierw przesłuchuje się rodziców. Zaginione dzieci prawie zawsze zabierane są przez któreś z rodziców, prawda?

– Zgadza się – odpowiedział Bolick. – Szukamy ojca. Ale zgodnie z tym, co mówi matka, rozmawiała z nim wczoraj po południu i był ze swoim zespołem gdzieś w Wirginii Zachodniej. Jest raczej przekonana, że nie miał z tym nic wspólnego.

– April nie znosi ojca – wypalił Theo i pożałował, że nie siedział cicho.

Rozmawiali jeszcze kilka minut, jednak rozmowa wyraźnie zmierzała ku końcowi. Funkcjonariusze podziękowali Boone'om za przybycie, obiecali, że się jeszcze z nimi skontaktują. I pan, i pani Boone odpowiedzieli, że gdyby byli potrzebni, to są cały dzień w swoich biurach. Theo, oczywiście, w szkole.

Kiedy już odjeżdżali, odezwała się pani Boone:

– Biedne dziecko. Porwane z własnego pokoju.

Pan Boone, który prowadził, zerknął przez ramię i zapytał:

– Theo, nic ci nie jest?

– Chyba nie.

– Woods, oczywiście, że coś mu jest. Właśnie porwano mu przyjaciółkę.

– Mamo, sam umiem mówić – powiedział Theo.

– Oczywiście, że umiesz, kochanie. Mam tylko nadzieję, że ją znajdą i to szybko.

Na wschodzie było już widać pierwsze promienie słońca. Kiedy jechali przez pobliskie osiedle, Theo wyglądał z okna, szukając zaciętej twarzy Jacka Leepera. Ale nikogo nie zobaczył. W oknach zapalały się światła. Miasto się budziło.

– Już prawie szósta – oznajmił pan Boone. – Jedźmy do Gertrudy na te jej słynne na cały świat wafle. Theo, co ty na to?

– Jestem za – odparł Theo, mimo że nie miał apetytu.

– Wspaniale, skarbie – oznajmiła pani Boone, chociaż cała trójka wiedziała, że zamówi tylko kawę.

Rozdział 2

U Gertrudy było starą restauracją przy Main Street, sześć ulic na zachód od sądu i trzy ulice na południe od komisariatu. Twierdzono, że podają w nim słynne na cały świat wafle, ale Theo często w to wątpił. Czy w Japonii albo Grecji naprawdę wiedzą o Gertrudzie i jej waflach? Wcale nie był taki pewien. Nawet tutaj, w Strattenburgu, miał w szkole kumpli, którzy w ogóle nie słyszeli o Gertrudzie. Kilka kilometrów na zachód od miasta, przy głównej trasie, stała stareńka chata z bali, przed nią dystrybutor paliwa, a na niej duży szyld z napisem „U Dudleya – słynne na cały świat ciastka miętowo-czekoladowe". Kiedy Theo był młodszy, oczywiście uważał, że wszyscy w mieście nie tylko mają wielką ochotę na ciastka miętowo-czekoladowe, ale i ciągle o nich mówią. Bo jak inaczej stałyby się słynne na cały świat? A potem, pewnego dnia, dyskusja w klasie zeszła na nietypowe tory, którymi dotarła do spraw importu i eksportu. Theo stwierdził, że na pewno eksportuje się dużo ciastek miętowo-czekoladowych pana Dudleya, bo przecież są takie sławne. Wyraźnie tak napisano na szyldzie. Ku jego zdumieniu tylko jeden kolega z klasy kiedykolwiek słyszał o takich ciastkach. Powoli Theo uświadamiał sobie, że chyba nie są aż takie znane, jak twierdzi pan Dudley. Powoli zaczynał też rozumieć, czym jest myląca reklama.

Odtąd bardzo podejrzliwie podchodził do różnych stwierdzeń o wielkiej sławie.

Ale tego ranka nie był w stanie zastanawiać się nad goframi i ciastkami, sławnymi czy nie. Za dużo myślał o April i paskudnym Jacku Leeperze. Boone'owie usiedli w zatłoczonej jadłodajni przy niewielkim stoliku. Powietrze przesycał zapach mocnej kawy i tłuszczu z bekonu, a jak Theo zorientował się, kiedy tylko usiadł, głównym tematem rozmów klientów było uprowadzenie April Finnemore. Z prawej czterech policjantów w mundurach głośno dyskutowało o tym, że Leeper może być gdzieś w pobliżu. Z lewej cały stolik siwych mężczyzn z wielką powagą rozprawiał o paru rzeczach. Wydawali się szczególnie zainteresowani kwestią tego, co często nazywali „porwaniem dla okupu".

Menu też podtrzymywało mit, że u Gertrudy podaje się „wafle słynne na cały świat". W milczącym proteście przeciwko mylącej reklamie Theo zamówił jajecznicę i kiełbaskę. Ojciec wziął gofry. Matka suchy pszeniczny tost.

Jak tylko kelnerka odeszła, pani Boone spojrzała Theo prosto w oczy i powiedziała:

– Dobra, bierzmy się do tego. W tej całej historii jest coś jeszcze.

Theo zawsze zdumiewało, jak łatwo jej to przychodzi. Mógł jej powiedzieć tylko połowę historii, a i tak od razu domagała się drugiej połowy. Mógł przedstawić malutką cząstkę, nic ważnego, nawet powiedzieć coś tylko dla zabawy, a już instynktownie się na to rzucała i rozrywała na strzępy. Mógł uchylić się przed bezpośrednim pytaniem, a strzelała w niego kolejnymi trzema. Podejrzewał, że nauczyła się czegoś takiego przez lata pracy jako prawnik od rozwodów. Często powtarzała, że nigdy się nie spodziewa, że klienci powiedzą jej całą prawdę.

– Zgadzam się – stwierdził pan Boone.

Theo nie potrafił powiedzieć, czy ojciec rzeczywiście się zgadza, czy może trzyma stronę żony, jak często robił. Pan Boone zajmował się sprawami nieruchomości, nigdy nie chodził do sądu i chociaż niezbyt za nim tęsknił, zwykle, kiedy trzeba było przycisnąć syna, pozostawał o krok lub dwa w tyle za panią Boone.

– April kazała mi nikomu nie mówić – powiedział Theo.

Matka szybko odparła:

– Theo, April jest teraz w wielkich tarapatach. Jeśli o czymś wiesz, to mów. I to szybko. – Zmrużyła oczy. Ściągnęła brwi. Theo wiedział, dokąd to prowadzi, i tak naprawdę wiedział, że lepiej wyznać prawdę.

– Kiedy zeszłej nocy rozmawiałem z April, pani Finnemore nie było w domu – oznajmił ze zwieszoną głową, łypiąc oczami na lewo i prawo. – I dzień wcześniej też jej nie było. Bierze pigułki i zachowuje się jak wariatka. April została sama.

– Gdzie jest ojciec? – zapytał pan Boone.

– Wyjechał z zespołem, od tygodnia nie ma go w domu.

– Nie pracuje? – zapytała pani Boone.

– Kupuje i sprzedaje staroświeckie meble. April mówi, że jak już zarobi kilka dolców, zaraz znika z zespołem, na tydzień albo dwa.

– Co za biedna dziewczyna – stwierdziła pani Boone.

– Chcecie zawiadomić policję? – spytał Theo.

Jedno i drugie pociągnęło długi łyk z kubka z kawą. Pozastanawiali się, wymienili zaciekawione spojrzenia. Wreszcie zgodzili się, że porozmawiają o tym później, w biurze, kiedy Theo pójdzie już do szkoły.

Pani Finnemore najwyraźniej okłamała policję, ale Boone'owie nie mieli ochoty wkraczać w sam środek tego wszystkiego. Wątpili, by wiedziała cokolwiek o uprowadzeniu. I tak już wydawała się wystarczająco zdenerwowana. Przypuszczalnie czuła się winna, że zabrakło jej w domu, kiedy porwano córkę.

Przyniesiono jedzenie, kelnerka znów napełniła kubki kawą. Theo pił mleko.

Sytuacja była bardzo skomplikowana, ale Theo ulżyło, że włączyli się rodzice i teraz martwią się razem z nim.

– Theo, coś jeszcze? – zapytał ojciec.

– Nic mi nie przychodzi do głowy.

– A jak ostatnio z nią rozmawiałeś – odezwała się pani Boone – była wystraszona?

– Tak, była naprawdę przerażona i martwiła się o swoją matkę.

– Dlaczego nam nie powiedziałeś? – zapytał ojciec.

– Bo kazała mi obiecać, że nie powiem. April musi sobie radzić z różnymi rzeczami i jest bardzo skryta. Wstydzi się swojej rodziny i próbuje ją chronić. Miała nadzieję, że matka zaraz przyjdzie. Ale pewnie przyszedł ktoś inny.

Theo nagle stracił apetyt. Powinien zrobić coś więcej. Powinien spróbować ochronić April, opowiedzieć o wszystkim rodzicom, a może jakiemuś nauczycielowi. Ktoś by go wysłuchał. Mógł coś zrobić. Ale April kazała obiecać, że nic nie powie, i zapewniała, że nic jej nie grozi. Dom był przecież zamknięty, paliło się mnóstwo świateł – i tak dalej.

Kiedy już jechali do domu, Theo odezwał się z tylnego siedzenia.

– Nie wiem, czy mogę dzisiaj iść do szkoły.

– Tylko na to czekałem – stwierdził ojciec.

– Jaki powód tym razem? – zapytała matka.

– No, tak na początek, nie wyspałem się. Jesteśmy na nogach od kiedy, od wpół do piątej?

– Czyli że teraz chcesz pojechać do domu i położyć się spać? – spytał ojciec.

– Tego nie powiedziałem, ale wątpię, żebym był w szkole przytomny.

Theo o mało nie palnął o codziennej sjeście ojca: krótkiej drzemce dla nabrania sił, przy biurku i zamkniętych drzwiach, zwykle około trzeciej po południu. Każdy, kto pracował w kancelarii prawniczej Boone & Boone, wiedział, że na górze, co popołudnie, Woods zdejmuje buty, przełącza telefon na „nie przeszkadzać" i drzemie sobie pół godzinki.

– Jakoś wytrzymasz – dodał ojciec.

Theo miał teraz problem; ostatnio często próbował wymigać się od szkoły. Ból głowy, kaszel, zatrucie pokarmowe, naciągnięte mięśnie, wzdęcie – chwytał się już wszystkiego i pewnie dalej by się chwytał. Nie to, żeby nie lubił szkoły, tak naprawdę nawet mu się podobało, kiedy już tam był. Dostawał dobre stopnie i lubił kolegów. Ale chciał być w sądzie, przyglądać się procesom i przesłuchaniom, słuchać prawników i sędziów, rozmawiać z policjantami i urzędnikami, nawet z woźnymi. Theo znał ich wszystkich.

– Jest jeszcze jedna rzecz, przez którą nie mogę iść do szkoły – stwierdził, chociaż wiedział, że tej bitwy nie wygra.

– Dobrze, słuchamy – powiedziała matka.

– Dobra, teraz trwają policyjne poszukiwania, a ja muszę w nich pomóc. Jak często mamy w Strattenburgu takie poszukiwania? To duża sprawa, szczególnie że szuka się mojej bliskiej przyjaciółki. Muszę pomóc odnaleźć April. Tego by się po mnie spodziewała. A poza tym nie ma mowy, żebym teraz dał radę się skupić w szkole. Totalna strata czasu. Nie będę myślał o niczym innym, tylko o April.

– Nieźle się starasz – stwierdził ojciec.

– Nieźle – dodała matka.

– Słuchajcie, mówię poważnie. Muszę zacząć jej szukać.

– Jestem zdziwiony – odezwał się ojciec, chociaż tak naprawdę wcale nie był. Często twierdził, że jest zdziwiony, kiedy rozmawiał z Theo. – Jesteś za bardzo zmęczony, żeby iść do szkoły, ale masz wystarczająco dużo energii, żeby kierować poszukiwaniami.

– Nieważne. Nie ma rady, żebym poszedł do szkoły.

Godzinę później Theo postawił swój rower pod gimnazjum i gdy o ósmej piętnaście zabrzmiał szkolny dzwonek, niechętnie wszedł do środka. W głównym korytarzu od razu natknął się na trzy zapłakane ósmoklasistki, które chciały wiedzieć, czy wie coś o April. Odparł, że nie wie nic poza tym, co podano w porannych wiadomościach.

Najwyraźniej te poranne wiadomości obejrzeli wszyscy w mieście. Pokazywano szkolne zdjęcie April i policyjną fotografię Jacka Leepera. Wyraźnie sugerowano, że doszło do porwania dla okupu. Theo czegoś jednak nie rozumiał. Takie porwanie (z tego, co przeczytał w słowniku) wiązało się zwykle z żądaniem pieniędzy – zapłacenia za uwolnienie porwanego. Finnemore'owie nie byli nawet w stanie zapłacić miesięcznych rachunków – skąd mieliby wziąć dużą forsę na uwolnienie April? I do tej pory porywacz się nie odezwał. Zwykle, jak Theo pamiętał z telewizji, rodzina dostawała taką wiadomość zaraz po tym, jak źli ludzie zabierali dziecko. No i za jego bezpieczny powrót żądano coś koło miliona dolarów.

W kolejnym reportażu w porannych wiadomościach pokazano panią Finnemore, jak płacze pod domem. Policjanci trzymali buzie na kłódkę, powiedzieli tylko, że badają każdy trop. Jakiś sąsiad opowiadał, że koło północy zaczął szczekać jego pies, a to zawsze zły znak. Tego ranka reporterzy najwyraźniej bardzo się uwijali, ale dotarli tylko do paru nowych informacji, które powiedziałaby coś więcej o zaginionej dziewczynie.

W klasie Theo godzinę wychowawczą prowadził pan Mount, który uczył też wiedzy o społeczeństwie. Kiedy pan Mount już uspokoił chłopców, sprawdził listę. Wszystkich szesnastu obecnych. Rozmowa szybko zeszła na zniknięcie April i pan Mount zapytał Theo, czy może coś słyszał.

– Nic – odparł Theo, a koledzy wydali się rozczarowani. Theo był jednym z nielicznych chłopaków, którzy rozmawiali z April. Większość ósmoklasistów, chłopców i dziewczyn, nawet ją lubiła, tyle że z April ciężko się było zaprzyjaźnić. Cicha, ubierała się bardziej jak chłopak niż dziewczyna, nie interesowała się modą ani plotkami z tygodników dla nastolatek i wszyscy wiedzieli, że jest z dziwacznej rodziny.

Zabrzmiał dzwonek na pierwszą lekcję i Theo, już wykończony, powlókł się na hiszpański.

Rozdział 3

Ostatni dzwonek zabrzmiał o piętnastej trzydzieści, a o piętnastej trzydzieści jeden Theo siedział już na rowerze i pędził przez alejki i boczne uliczki, omijając samochody w śródmieściu. Śmignął przez Main Street, pomachał policjantowi stojącemu na skrzyżowaniu i udał, że nie słyszy, jak policjant woła:

– Theo, zwolnij!

Przeciął niewielki cmentarz i skręcił w Park Street.

Jego rodzice byli małżeństwem od dwudziestu pięciu lat, a ostatnich dwadzieścia przepracowali wspólnie jako partnerzy w niewielkiej kancelarii Boone & Boone, przy Park Street 415, w samym sercu starego Strattenburga. Kiedyś mieli jeszcze jednego wspólnika, Ike'a Boone'a, stryja Theo, ale Ike musiał opuścić firmę, gdy wpakował się w jakieś kłopoty. Teraz w kancelarii pracowało dwoje równorzędnych partnerów – Marcella Boone na parterze, w schludnym, nowoczesnym biurze, gdzie zajmowała się głównie rozwodami, i Woods Boone na górze, sam w dużym zagraconym pokoju z uginającymi się od książek regałami, stosami akt rozrzuconymi na podłodze i wieczną chmurą fajkowego dymu delikatnie płynącą pod sufitem. Dla porządku trzeba jeszcze dodać, że w kancelarii pracowała również Dorothy, sekretarka pana Boone'a, zajmująca się sprawami nieruchomości i rzeczami, które Theo uważał za straszliwie nudne – i Vince, asystent zajmujący się sprawami pani Boone.

Sędzia – kundel i pies Theo, całej rodziny i całej kancelarii – cały dzień spędzał w biurze. Czasem po cichu skradał się z pokoju do pokoju, żeby mieć oko na wszystko, i często łaził za ludźmi do kuchni, gdzie liczył na coś do jedzenia. Zwykle jednak drzemał na małym prostokątnym posłaniu w recepcji, gdzie gawędziła z nim Elsa, pisząc coś na komputerze.

Ostatnim z pracowników firmy był Theo i, jak podejrzewał z zadowoleniem, w Strattenburgu jako jedyny trzynastolatek miał własne biuro prawnicze. Oczywiście, był o wiele za młody na prawdziwego pracownika, ale czasem bardzo się przydawał. Wyszukiwał różne akta dla Dorothy i Vince'a.

Przeglądał długie dokumenty, szukając kluczowych słów i sformułowań. Był dobry w komputerach, więc potrafił wygrzebać różne kwestie prawne i dokopać się do rozmaitych faktów. Ale najbardziej lubił biegać do sądu po akta dla kancelarii. Theo uwielbiał sąd i marzył o dniu, kiedy stanie w prawdziwej dużej sali rozpraw, tej na pierwszym piętrze, i będzie bronił własnych klientów.

Dokładnie o piętnastej czterdzieści postawił rower pod wąskim gankiem głównego wejścia do kancelarii Boone & Boone i zebrał się w sobie. Elsa codziennie witała go mocnym uściskiem, bolesnym uszczypnięciem w policzek, a potem szybką inspekcją tego, w co się dzisiaj ubrał. Otworzył drzwi i wszedł do środka, gdzie już go odpowiednio powitano. Jak zwykle czekał i Sędzia. Zeskoczył z posłania i popędził do Theo.

– Tak mi przykro z powodu April – wyrzuciła z siebie Elsa.

Zabrzmiało to, jakby osobiście znała April, a nie znała. Ale teraz, jak zwykle przy tragedii, każdy w Strattenburgu albo znał, albo twierdził, że zna April i potrafił mówić o niej tylko dobrze.

– Coś nowego? – zapytał Theo, głaszcząc Sędziego po łbie.

– Nic. Cały dzień słuchałam radia i ani słowa, żadnego znaku życia. Co tam w szkole?

– Okropnie. Jedyne co robimy, to mówimy o April.

– Biedna dziewczynka. – Elsa przyjrzała się jego koszuli, a potem powędrowała wzrokiem w dół, ku spodniom. Theo zamarł na ułamek sekundy. Codziennie go tak lustrowała i nigdy nie zawahała się powiedzieć czegoś w rodzaju: „Czy ta koszulka na pewno pasuje do tych spodni?" albo: „Czy nie nosiłeś tej koszuli już dwa dni temu?" Theo bardzo to denerwowało i nieraz skarżył się rodzicom, ale protesty niczego nie dały. Elsa była jak członek rodziny, jak druga matka, i jeśli chciała wypytywać o coś Theo, robiła tak wyłącznie z troski.

Krążyła plotka, że Elsa wszystkie zarobione pieniądze wydaje na ubrania, i rzeczywiście na to wyglądało. Najwyraźniej dzisiaj zaaprobowała strój Theo. Zanim zdążyła jakoś go skomentować, Theo już pociągnął rozmowę:

– Jest mama?

– Tak, ale ma klienta. Pan Boone pracuje.

Jak zwykle. Matka Theo, kiedy nie była w sądzie, większość czasu spędzała z klientami, prawie zawsze kobietami, które (1) chciały rozwodu albo (2) potrzebowały rozwodu, albo (3) były w trakcie rozwodu, albo (4) cierpiały wskutek rozwodu. Pracowała ciężko, ale miała opinię jednego z najlepszych prawników od rozwodów w mieście. Theo był z niej naprawdę dumny. I był dumny z tego, że prawie każdą nową klientkę zachęcała najpierw do poszukania fachowej porady i ratowania małżeństwa. Niestety, zrozumiał już, że niektórych małżeństw nie da się uratować.

Wbiegł po schodach, z Sędzią plączącym się koło nóg, i wpakował do przestronnego, wspaniałego gabinetu radcy prawnego Woodsa Boone'a. Tata siedział za biurkiem i pracował. W jednej ręce trzymał fajkę, w drugiej długopis, a wszędzie miał porozkładane papiery.

– No, cześć Theo – powiedział pan Boone z ciepłym uśmiechem. – Dobrze ci poszło w szkole? – To samo pytanie co zwykle, pięć razy w tygodniu.

– Okropnie – odparł Theo. – Wiedziałem, że nie powinienem iść. Totalna strata czasu.

– A dlaczego?

– Tato, daj spokój. Moja przyjaciółka i nasza koleżanka z klasy została porwana przez jakiegoś zbiegłego przestępcę, który siedział właśnie dlatego, że jest porywaczem. Tu się coś takiego nie zdarza codziennie. Powinniśmy pomagać w poszukiwaniach, ale nie, my tkwimy w szkole, gdzie możemy sobie najwyżej gadać o szukaniu April.

– Bzdura. Theo, zostaw poszukiwania zawodowcom. Mamy w mieście świetnych policjantów.

– No ale jeszcze jej nie znaleźli. Może potrzebują pomocy.

– Czyjej pomocy?

Theo odchrząknął i zacisnął zęby. Wpatrywał się prosto w ojca i przygotowywał do powiedzenia prawdy. Nauczył się już stawiać czoło prawdzie, niczego nie ukrywać, po prostu wyrzucić z siebie wszystko, a cokolwiek potem się stanie i tak będzie znacznie lepsze od kłamstwa albo przemilczania. Miał już oznajmić: Naszej pomocy, tato, pomocy przyjaciół April. Zorganizowałem ekipę poszukiwawczą i chcemy iść jej szukać – kiedy rozdzwonił się telefon. Ojciec chwycił słuchawkę, jak zwykle mruknął: „Woods Boone", a potem zaczął słuchać.

Theo ugryzł się w język. Po kilku sekundach ojciec zasłonił mikrofon i zaszeptał:

– To może chwilę potrwać.

– Nara – powiedział Theo, zerwał się i wyszedł. Poszedł na dół, a za nim Sędzia. Dotarł na tył kancelarii Boone & Boone, do małego pokoju, który nazywał swoim gabinetem. Rozpakował plecak, rozłożył książki i zeszyty, żeby wyglądało, że zaraz weźmie się do odrabiania lekcji. Ale nie zamierzał się brać.

Zorganizował ekipę poszukiwawczą z mniej więcej dwudziestu swoich kolegów. Plan zakładał wyruszenie w pięciu grupach po czterech rowerzystów. Mieli komórki i krótkofalówki. Woody wziął jeszcze iPada z Google Earth i GPS-em. Wszystko planowano zgrać ze sobą, a Theo oczywiście dowodził akcją.

Zamierzali przeczesywać poszczególne rejony miasta, szukając April i rozdając ulotki z jej zdjęciem i obietnicą tysiąca dolarów za informację, które mogą doprowadzić do jej uratowania. W szkole puścili w obieg czapkę i od uczniów i nauczycieli zebrali prawie dwieście dolarów. Theo razem z kolegami uznali, że resztę pieniędzy wezmą od rodziców, kiedy tylko pojawi się ktoś, kto dostarczy kluczowych informacji. Stwierdził, że jeśli zajdzie potrzeba, rodzice na pewno wytrzasną skądś pieniądze. Sprawa była ryzykowna, ale gra szła o zbyt wysoką stawkę, a czasu brakowało.

Theo wymknął się tylnymi drzwiami, zostawiając Sędziego samego i zaskoczonego, a potem przekradł przed wejście do kancelarii i wskoczył na rower.

Rozdział 4

Ekipa poszukiwawcza zebrała się kilka minut przed szesnastą w Truman Park – pod każdym względem największym parku Strattenburga. Wszyscy spotkali się przy głównej altanie, uczęszczanym miejscu w samym środku parku, gdzie politycy wygłaszali przemowy, a w długie letnie wieczory grały zespoły muzyczne. Od czasu do czasu młode pary brały tam ślub. W sumie zjawiło się ich osiemnaścioro: piętnastu chłopaków i trzy dziewczyny, wszyscy w rowerowych kaskach, pełni zapału do szukania i ratowania April Finnemore.

Przez cały dzień w szkole chłopcy spierali się i kłócili, jak powinny wyglądać porządne poszukiwania. Żaden z nich nie brał jeszcze w czymś takim udziału, ale o braku doświadczenia nawet nie wspominano ani nie brano go pod uwagę. Przeciwnie, paru chłopaków, w tym Theo, mówiło tak, jakby dokładnie wiedzieli, co robić. Ważnym uczestnikiem dyskusji stał się Woody, który jako właściciel iPada uważał, że jego pomysły liczą się bardziej. Kolejnym liderem był Justin, najlepszy sportowiec w klasie, czyli ktoś najbardziej pewny siebie.

Wśród ósmoklasistów znalazło się i paru sceptyków, którzy uważali, że Jack Leeper już dawno uciekł z April. Po co miałby zostawać w tej okolicy, gdzie każdy mógł zobaczyć jego twarz w telewizji? Sceptycy argumentowali, że jakakolwiek próba odnalezienia April nie ma sensu. Przepadła, ukryta w innym stanie, może innym kraju i oby tylko jeszcze żyła.

Ale Theo i reszta twardo postanowili, że coś zrobią, cokolwiek. Może April przepadła, a może nie. Nikt tego nie wie. Przynajmniej się starają. Kto wie – może będą mieli fart?

Poszukiwacze wreszcie doszli do porozumienia. Skupili się na starej dzielnicy Delmont, niedaleko Stratten College, w północno-zachodniej części miasta. Delmont było niebogatą okolicą, gdzie większość mieszkańców wynajmowała domy, popularną wśród studentów i przymierających głodem artystów. Poszukiwacze uznali, że każdy szanujący się porywacz trzymałby się z daleka od lepszych dzielnic.

Ominąłby centrum Strattenburga, jego ruchliwe ulice i chodniki. Prawie na pewno wybrałby miejsce, gdzie na okrągło pojawiali się i odchodzili różni obcy. Dlatego zawężono obszar działań i od chwili kiedy podjęli taką decyzję, nabrali przekonania, że April pewnie schowano w jakiejś klitce na tyłach taniego bliźniaka do wynajęcia. Może nawet zakneblowano i związano nad jakimś starym garażem w Delmont.

Rozdzielili się na trzy ekipy po sześć osób; do każdej, aczkolwiek trochę niechętnie, włączono jedną dziewczynę. Dziesięć minut po zbiórce w parku pedałowali do spożywczego Gibsona na skraju Delmont. Ekipa Woody'ego wzięła się do Allen Street, Justina do Edgecomb Street. Theo, który objął stanowisko naczelnego dowódcy – chociaż wcale tak o sobie nie mówił – poprowadził własną ekipę dwie przecznice dalej, na Trover Avenue. Na każdym nadającym się zauważonym słupie przypinali ulotki z napisem „Zaginiona". Zatrzymali się pod pralnią samoobsługową i rozdawali ulotki ludziom przychodzącym z praniem. Rozmawiali z przechodniami i prosili, żeby się uważnie rozglądali. Zagadywali staruszków siedzących na gankach w bujanych fotelach i miłe panie pielące klomby. Powoli pedałowali wzdłuż Trover, oglądając każdy dom, każdy bliźniak, każdy budynek, a kiedy tak jechali i jechali, zaczynało już do nich docierać, że wiele nie zdziałali. Jeśli

April zamknięto w którymś z tych domów, to jak mieli ją znaleźć? Nie mogli przecież zajrzeć do środka. Nie mogli zapukać do drzwi i spodziewać się, że otworzy im Leeper. Nie mogli krzyczeć do okien i liczyć, że ktoś odpowie. Theo zaczął sobie uświadamiać, że lepiej zrobią, rozdając ulotki i opowiadając o nagrodzie pieniężnej.

Dotarli do końca Trover Avenue i podjechali przecznicę dalej na północ, do Whitworth Street, gdzie chodzili od drzwi do drzwi w centrum handlowym i rozdawali ulotki u fryzjera, w pralni, pizzerii i w monopolowym. Ostrzeżenie umieszczone na drzwiach monopolowego wyraźnie zabraniało wstępu osobom poniżej dwudziestego pierwszego roku życia, ale Theo się nie zawahał. Był tu, żeby pomóc przyjaciółce, a nie kupować coś mocniejszego. Wmaszerował do środka sam, wręczył ulotki dwóm znudzonym kasjerom i wyszedł, zanim ktokolwiek zdążył zaprotestować.

Właśnie opuszczali centrum handlowe, kiedy Theo odebrał pilny telefon od Woody'ego. Jego ekipę przy Allen Street zatrzymali policjanci i wcale nie wyglądali na zadowolonych. Theo od razu ruszył tam ze swoją grupą i po kilku minutach zjawił się na miejscu. Zastał dwa radiowozy i trzech mundurowych policjantów.

Od razu zauważył, że żadnego z nich nie zna.

– Dzieciaki, co wy tu robicie? – zapytał pierwszy policjant na widok Theo. Według plakietki na piersi nazywał się Bard. – Niech zgadnę, pomagacie w poszukiwaniach? – zapytał Bard z krzywym uśmiechem.

Theo wyciągnął rękę na powitanie.

– Jestem Theo Boone – oznajmił.

Wypowiedział wyraźnie nazwisko w nadziei, że któryś z policjantów je rozpozna. Nauczył się już, że większość policjantów zna większość prawników i być może, tylko być może, któryś z tych facetów uświadomi sobie, że rodzice Theo są właśnie szanowanymi prawnikami. Ale to nie zadziałało. W Strattenburgu było tak dużo prawników.

– Tak, proszę pana, pomagamy w poszukiwaniach April Finnemore – wyjaśnił uprzejmie, w szerokim uśmiechu błyszcząc przed funkcjonariuszem Bardem aparatem na zębach.

– Jesteś szefem tej bandy? – warknął Bard.

Theo zerknął na Woody'ego, który stracił już całą pewność siebie i wydawał się tak przestraszony, jakby zaraz mieli zaciągnąć go do aresztu i może nawet pobić.

– Chyba tak – odpowiedział Theo.

– Czy ktoś was prosił, chłopcy i dziewczynki, o włączanie się w poszukiwania?

– Proszę pana, zgadza się, tak naprawdę nikt nas nie prosił. Ale April to nasza przyjaciółka i martwimy się o nią. – Theo starał się dobrać odpowiedni ton. Chciał okazać szacunek, ale jednocześnie był przekonany, że nie zrobili nic złego.

– Urocze – stwierdził Bard, szczerząc się do pozostałych dwóch policjantów.

Trzymał ulotkę i pokazał ją Theo.

– Kto to wydrukował? – zapytał.

Theo już chciał odpowiedzieć: Proszę pana, tak naprawdę to nie pańska sprawa kto drukował te ulotki, ale mógłby tylko pogorszyć i tak już złą sytuację. Dlatego stwierdził:

– To my je wydrukowaliśmy, dzisiaj w szkole.

– A to jest April? – zapytał Bard, wskazując uśmiechniętą twarz na samym środku kartki.

Theo już chciał odpowiedzieć: Nie, proszę pana, to twarz innej dziewczyny, której użyliśmy, żeby jeszcze bardziej utrudnić poszukiwania i narobić jeszcze większego zamieszania.

Twarz April stale pokazywano w lokalnych wiadomościach. Bard na pewno ją rozpoznał.

– Tak, proszę pana – odpowiedział po prostu.

– A kto dał wam, dzieciaki, pozwolenie, na przyczepianie ulotek w miejscach publicznych?

– Nikt.

– Wiesz, że to jest złamanie miejskich przepisów, że to poważne naruszenie prawa? Wiesz? – Bard naoglądał się w telewizji za dużo kiepskich programów o policjantach i teraz za bardzo starał się nastraszyć dzieciaki.

Tymczasem cicho przyjechała ekipa Justina. Zatrzymali się za resztą rowerzystów. Więc było teraz osiemnaścioro dzieciaków i trzech policjantów. Do tego kilku okolicznych mieszkańców, którzy wyszli zobaczyć, co się dzieje.

Theo powinien udać głupiego i przyznać się do nieznajomości miejskich przepisów, ale po prostu nie potrafił. Odpowiedział więc bardzo grzecznie:

– Nie, proszę pana, umieszczanie ulotek na słupach telefonicznych i wysokiego napięcia nie jest naruszeniem miejskich przepisów. Dzisiaj w szkole sprawdzałem to w Internecie.

Od razu było widać, że funkcjonariusz Bard niezbyt wie, co powiedzieć. Jego blef nie wypalił. Zerknął na kolegów; wydawali się rozbawieni i ani trochę go nie wspierali. Dzieciaki uśmiechały się z wyższością. Bard miał teraz wszystkich przeciwko sobie.

Theo nie odpuszczał:

– Prawo jasno mówi, że pozwolenie wymagane jest w stosunku do plakatów i ulotek związanych z politykami oraz osobami ubiegającymi się o jakiś urząd, ale nie wymaga się go w stosunku do wszystkich innych. Te ulotki są legalne, pod warunkiem że zostaną zdjęte w ciągu dziesięciu dni. Tak właśnie mówi prawo.

– Mały, nie podoba mi się twój ton – odparował Bard, wypinając pierś i kładąc dłoń na służbowym rewolwerze. Theo zauważył broń, ale się nie bał, że policjant go zastrzeli. Bard próbował zgrywać złego glinę, ale nie bardzo mu wychodziło.

Theo, jedyne dziecko pary prawników, zdążył już wyrobić sobie zdrową nieufność do ludzi, którzy uważają, że mają więcej władzy od innych – nawet do policjantów. Nauczono go szanować wszystkich dorosłych, zwłaszcza reprezentujących instytucje, ale jednocześnie rodzice wpoili mu, żeby zawsze szukać prawdy. Kiedy ktoś – dorosły, nastolatek, dziecko – nie był szczery, wtedy nie należało przechodzić do porządku dziennego nad jego oszustwem czy kłamstwem.

Wszyscy przypatrywali się Theo i czekali na jego odpowiedź. Theo przełknął głośno ślinę i oznajmił:

– Proszę pana, w moim tonie nie ma nic złego. A jeśli nawet mój ton jest nieodpowiedni, to i tak nie łamię prawa.

Bard wyciągnął z kieszeni długopis i notes.

– Jak się nazywasz? – zapytał.

Powiedziałem, jak się nazywam, trzy minuty temu, pomyślał Theo, ale powtórzył:

– Theodore Boone.

Bard zanotował tak szybko, jakby to, cokolwiek teraz zapisywał, mogło kiedyś nabrać wielkiej wagi w sądzie. Wszyscy czekali. Wreszcie jeden z policjantów wyszedł kilka kroków przed Barda.

– Czy twój tata to Woods Boone? – zapytał.

Plakietka pokazywała, że nazywa się Sneed.

Nareszcie, pomyślał Theo.

– Tak, proszę pana.

– A twoja matka też jest prawnikiem, prawda? – dopytywał się Sneed.

– Tak, proszę pana.

Bard przygarbił się trochę i przestał notować. Rozejrzał się zmieszany, jakby właśnie pomyślał: No, super. Dzieciak zna się na prawie, a ja nie, do tego jeszcze ma rodziców, którzy pewnie mnie przycisną, jak zrobię coś nie tak.

Sneed spróbował mu pomóc, zadając dość bezcelowe pytanie:

– Mieszkacie gdzieś tutaj, dzieciaki?

Darren powoli podniósł rękę.

– Ja mieszkam parę ulic stąd, przy Emmitt Street.

Sytuacja zrobiła się patowa. Żadna ze stron nie wiedziała, co dalej. Sibley Taylor wzięła rower i stanęła obok Theo. Uśmiechnęła się do Barda i Sneeda.

– Nie rozumiem – odezwała się. – Dlaczego nie możemy współpracować? April to nasza dobra koleżanka i bardzo się o nią martwimy. Policja jej szuka. My jej szukamy. Nie robimy niczego złego. O co chodzi?

Bard i Sneed nie potrafili tak od razu odpowiedzieć na te proste pytania, zresztą odpowiedzi nie były oczywiste.

W każdej klasie zawsze jest jakiś dzieciak, który mówi, zanim pomyśli, albo mówi to, co myślą inni, tylko boją się powiedzieć. Wśród poszukiwaczy takim kimś był Aaron Helleberg, który znał angielski, niemiecki i hiszpański, i potrafił wpakować się w kłopoty w każdym z tych języków.

– A panowie nie powinni raczej szukać April, a nie nas tutaj straszyć? – walnął.

Bard gwałtownie wciągnął powietrze, jakby ktoś rąbnął go w brzuch. Wydawało się, że zaraz zacznie strzelać, kiedy wtrącił się Sneed:

– Dobra, umówmy się. Możecie rozdawać te ulotki, ale nie możecie ich przyczepiać w miejscach należących do miasta: na słupach, przystankach i tak dalej. Mamy już prawie piątą. Chcę, żebyście do szóstej zniknęli z ulicy. W porządku?

Spojrzał na Theo.

Theo wzruszył ramionami.

– W porządku – odparł.

Ale wcale nie było w porządku. Mogli cały dzień przyczepiać ulotki do słupów (ale nie na przystankach). Policja nie miała aż takiej władzy, żeby zmieniać miejskie przepisy, ani nie miała prawa kazać dzieciom zniknąć z ulic do szóstej wieczorem.

Ale akurat teraz potrzebowali kompromisu, a układ ze Sneedem nie wydawał się taki zły. Oni nie przerwą poszukiwań, a policjanci będą mogli oznajmić, że mają dzieciaki pod kontrolą. Rozwiązanie sporu często wymaga drobnych ustępstw każdej ze stron. Tego Theo też nauczył się od rodziców.

Ekipa poszukiwawcza popedałowała z powrotem do Truman Park, gdzie się przegrupowała. Czworo miało jeszcze inne sprawy do załatwienia i odjechało. Dwadzieścia minut po spotkaniu z Bardem i Sneedem Theo i reszta ruszyli do dzielnicy Maury Hill, w południowo-wschodniej części miasta, tak daleko od Delmont, jak tylko się dało. Rozdali kilkadziesiąt ulotek, przyjrzeli się paru opuszczonym budynkom, porozmawiali z zaciekawionymi mieszkańcami i skończyli dokładnie o szóstej.

Rozdział 5

Kolacje rodziny Boone'ów były przewidywalne jak zegar na ścianie. W poniedziałki chodzili do Robilia, starej włoskiej restauracji w centrum, niedaleko kancelarii. We wtorki jedli zupę i kanapki w schronisku dla bezdomnych, gdzie pracowali jako wolontariusze. W środy pan Boone kupował chińszczyznę na wynos w Dragon Lady i jedli z papierowych tacek, oglądając telewizję. W czwartki pani Boone zamawiała pieczonego kurczaka w tureckich delikatesach, jedli go z humusem i chlebkiem pita. W piątki była ryba u Maloufa, popularnej restauracji prowadzonej przez stare małżeństwo z Libanu, które ciągle na siebie powrzaskiwało. W soboty każde z trojga Boone'ów na zmianę decydowało, co i gdzie będą jedli. Theo zwykle wybierał pizzę i kino. W niedzielę pani Boone sama brała się w końcu do gotowania, i ten obiad Theo najmniej lubił z całego tygodnia – chociaż był zbyt bystry, żeby to powiedzieć. Marcella nie lubiła gotować. Pracowała ciężko, wysiadywała w biurze i po prostu nie chciało jej się gnać do domu tylko po to, żeby łapać się za kolejną robotę w kuchni. Zresztą w Strattenburgu było dużo dobrych etnicznych restauracji i delikatesów, dlatego najrozsądniej było zostawić gotowanie prawdziwym kucharzom. Przynajmniej tak uważała pani Marcella Boone. Theo nie miał nic przeciwko, tak jak i ojciec. Gdy matka gotowała, spodziewała się, że mąż i syn potem sprzątną, ale obaj panowie woleli trzymać się od zmywania z daleka.

Kolację zawsze jedli dokładnie o dziewiętnastej – kolejny dowód na to, że byli ludźmi bardzo dobrze zorganizowanymi, którzy nie spuszczali oka z zegarka. Theo postawił na telewizyjnej tacce papierowy talerz smażonego makaronu z kurczakiem i słodko-kwaśnych krewetek i usadowił się na miękkiej sofie. Potem położył na podłodze mniejszą tackę, której już bardzo wyczekiwał Sędzia. Sędzia uwielbiał chińskie jedzenie, spodziewał się, że będzie jadł w salonie razem z ludźmi. Psia karma go obrażała.

Po kilku kęsach pan Boone zapytał:

– Theo, coś nowego w sprawie April?

– Nic. W szkole tylko same plotki.

– Biedne dziecko – odezwała się pani Boone. – W szkole na pewno wszyscy się martwią.

– Tylko o tym mówimy. Totalna strata czasu. Powinienem zostać dzisiaj w domu i pomagać przy poszukiwaniach.

– To absolutnie próżny wysiłek – stwierdził pan Boone.

– Powiedzieliście policji o pani Finnemore i wyjaśniliście, że kłamała, jak mówiła, że była z April w domu? Że nie było jej w domu ani w poniedziałek wieczorem, ani we wtorek? Że to wariatka, co łyka prochy i nie zajmuje się własną córką?

Milczenie. Na kilka chwil w pokoju zapadła cisza. Potem odezwała się pani Borne:

– Nie, Theo, nie powiedzieliśmy. Rozmawialiśmy o tym i postanowiliśmy zaczekać.

– Ale dlaczego?

– Bo – odezwał się ojciec – to wcale nie pomoże policji odnaleźć April. Zamierzamy odczekać dzień, dwa. Wciąż o tym rozmawiamy.

– Nic nie jesz, Theo – zauważyła matka.

Fakt. Nie miał apetytu. Jedzenie jakby zatrzymywało się w połowie przełyku, gdzie wszystko blokował tępy, pulsujący ból.

– Nie jestem głodny – powiedział.

Później, jakoś w połowie powtórki odcinka *Prawa i porządku*, nadano najświeższe wiadomości. Wciąż prowadzono poszukiwania April Finnemore, a policja wciąż nie mówiła ani słowa. Pokazano zdjęcie April, potem jedną z ulotek, które rozdawał Theo ze swoją paczką. Zaraz potem pojawiło się tamto złowrogie zdjęcie Jacka Leepera wyglądającego jak seryjny morderca. Reporter wyrzucał z siebie:

– Policja sprawdza możliwość tego, że Jack Leeper, po ucieczce z więzienia w Kalifornii, wrócił do Strattenburga, by spotkać się tutaj ze swoją korespondencyjną przyjaciółką, April Finnemore.

Policja sprawdza wiele tropów, pomyślał Theo. Co wcale nie znaczy, że wszystkie są prawdziwe. Przez cały dzień rozmyślał o Leeperze i był pewien, że April nigdy nie otworzyłaby drzwi takiemu bandziorowi. Bez przerwy sobie powtarzał, że może cała teoria o porwaniu to tylko jeden wielki zbieg okoliczności. Leeper uciekł z więzienia, wrócił do Strattenburga, bo mieszkał tutaj dawno temu, i dał się przyłapać sklepowym kamerom akurat wtedy, gdy April postanowiła uciec z domu.

Theo dobrze znał April, ale teraz uświadomił sobie, że jest sporo rzeczy, których o niej nie wie. Ani nie chce wiedzieć. Czy to możliwe, żeby uciekła, nie mówiąc mu ani słowa? Powoli zaczynał wierzyć, że odpowiedź brzmi „tak".

Siedział na sofie, przykryty kołdrą. Sędzia powalił się koło niego i w pewnej chwili obaj zasnęli. Theo był na nogach od wpół do piątej rano i brakowało mu snu. Czuł się wykończony, fizycznie i psychicznie.

Rozdział 6

Zakole rzeki Yancey było wschodnią granicą Strattenburga. Stary most, jeden dla samochodów i pociągów, prowadził do sąsiedniego hrabstwa. Nie korzystano z niego często, bo nie było wielu powodów, żeby wybierać się do sąsiedniego hrabstwa. Cały Strattenburg leżał na zachód od rzeki i jak wyjeżdżało się z miasta, to prawie tylko w tamtą stronę. Przez minionych kilkadziesiąt lat Yancey była niezwykle ważnym szlakiem transportu drewna i zboża, a w początkach historii Strattenburga ruchliwa okolica „pod mostem" była bardzo niebezpieczna, pełna saloonów, nielegalnych szulerni i ponurych spelun, gdzie spotykały się różne męty. Kiedy ruch na rzece osłabł, większość takich miejsc pozamykano, a męty przeniosły się gdzie indziej. Ale zostało ich wystarczająco dużo, żeby okolica zachowała kiepską reputację.

„Pod mostem" stało się po prostu „mostem", częścią miasta, której unikali wszyscy porządni ludzie, ponurą okolicą, za dnia prawie całkiem okrytą cieniem urwistej skarpy. Paliło się niewiele latarni, a po ulicach rzadko kto się kręcił. Bary i rudery odwiedzało się tylko po to, żeby szukać kłopotów. Domy – niewielkie budy – dla ochrony przed wysoką wodą stały na palach. Tych, co tu mieszkali, przezywano czasem „rzecznymi szczurami", co najwyraźniej uważali za obraźliwe. Kiedy zabierali się do jakiejś pracy, to łowili ryby w Yancey, a potem sprzedawali to, co złowili, fabryce karmy dla psów i kotów. Ale nie pracowali dużo. Byli leniwi, żyli na koszt rzeki i opieki społecznej, kłócili się o głupoty i zarabiali na swoją opinię narwanych obiboków.

W czwartek, wcześnie rano, poszukiwania dotarły pod most.

Pewien rzeczny szczur o nazwisku Buster Shell większość popołudnia w środę spędził w ulubionym barze, popijając ulubione tanie piwo i grając w pokera na pięcio- i dziesięciocentówki. Kiedy skończyła mu się kasa, nie miał innego wyboru, jak wracać do domu, do irytującej żony i trójki brudnych dzieciaków. Kiedy szedł wąskimi, niewybrukowanymi uliczkami, wpadł na jakiegoś faceta, któremu gdzieś się spieszyło. Wymienili kilka ostrych słów, jak to pod mostem, ale tamten nie miał ochoty się bić, na co z kolei Buster na pewno miał chęć.

Buster poszedł dalej, ale nagle stanął jak wryty. Już kiedyś widział tę gębę. Ledwie parę godzin temu. Czy to nie ten facet, co go szukają gliny? Jak on się nazywał? Buster, na wpół pijany, a może i bardziej niż na wpół, wyłamywał palce, stojąc na środku ulicy i wysilał mózgownicę, usiłując sobie przypomnieć.

– Leeper – powiedział wreszcie. – Jack Leeper.

Większość Strattenburga wiedziała już o pięciu tysiącach dolarów nagrody, jaką policja dawała za jakiekolwiek informacje mogące doprowadzić do aresztowania Jacka Leepera. Buster prawie czuł zapach tej forsy. Rozejrzał się, ale tamten dawno przepadł. Ale i tak Leeper – bo Buster nie miał wątpliwości, że to był właśnie Jack Leeper – trafił teraz pod most. A więc w okolice Bustera, które policja wolała omijać, miejsce, gdzie rzeczne szczury stanowiły własne prawa.

W parę minut Buster zebrał mały, dobrze uzbrojony oddział, złożony z sześciu mężczyzn pijanych mniej więcej tak samo jak on. I się zaczęło. Po okolicy rozeszło się, że jest to zbiegły więzień. Ludzie znad rzeki ciągle się ze sobą bili, ale kiedy groziło im coś z zewnątrz, z miejsca stawali murem.

Buster wydawał rozkazy, których nikt nie słuchał, więc poszukiwania Leepera od samego początku szły dość kulawo. Doszło do poważnej różnicy zdań w kwestii strategii, a że każdy poszukiwacz miał naładowaną spluwę, sprawa zrobiła się poważna. Ale w końcu ustalono, żeby pilnować jedynej głównej drogi do miasta. Wtedy, żeby uciec, Leeper musiałby ukraść łódź albo przepłynąć Yancey wpław.

Mijały godziny. Buster i jego ludzie chodzili od drzwi do drzwi, starannie szukając pod domami i za chatami, na straganach i w sklepikach, w krzakach i w zaroślach. Grupa poszukiwaczy rosła i rosła, aż Buster zaczął się martwić, jak się potem rozdzieli między tylu nagrodę. Czy uda mu się zatrzymać większość forsy? To może się okazać trudne. Pięć tysięcy dolarów wypłacone grupie rzecznych szczurów potrafiłoby doprowadzić do wojny.

Przez chmury daleko na wschodzie przebił się pierwszy promień słońca. Poszukiwania traciły rozpęd. Ludzie Bustera czuli się już zmęczeni i opuszczał ich entuzjazm.

Pani Ethel Barner miała osiemdziesiąt pięć lat i mieszkała sama od śmierci męża dziesięć lat temu. Należała do tych nielicznych mieszkańców okolicy mostu, którzy nie doświadczali nadmiaru wrażeń. Wstała o szóstej rano i poszła zaparzyć sobie kawy, a wtedy usłyszała jakiś cichy hałas dochodzący od strony tylnych drzwi jej czteropokojowego domku. W szufladzie pod tosterem trzymała pistolet. Chwyciła broń, potem kliknęła włącznikiem światła. I tak samo jak Buster stanęła twarzą w twarz z mężczyzną, którego widziała w wiadomościach. Właśnie zdejmował osłonę małego okienka w drzwiach i najwyraźniej próbował się włamać. Kiedy pani Ethel podniosła pistolet, jakby chciała strzelić przez drzwi, Jackowi Leeperowi opadła szczęka. Szeroko otworzył oczy z przerażenia i wydał odgłos dla pani Ethel nie do końca zrozumiały (zresztą, i tak była prawie kompletnie głucha). Potem Leeper szybko się uchylił i zwiał. Pani Ethel złapała słuchawkę i wybrała 911.

Po dziesięciu minutach, nad mostem unosił się policyjny śmigłowiec, a po ulicach cicho szedł oddział antyterrorystów.

Bustera Shella aresztowano za picie alkoholu w miejscu publicznym, nielegalne posiadanie broni palnej i stawianie oporu podczas zatrzymania. Został zakuty w kajdanki i odstawiony do miejskiego aresztu, a jego sny o nagrodzie rozwiały się raz na zawsze.

Wkrótce odnaleziono Leepera w zarośniętym rowie przy ulicy prowadzącej do i z mostu. Zatoczył koło, najwyraźniej próbował opuścić tę okolicę. Ale to, dlaczego w ogóle się tam zjawił, pozostawało tajemnicą.

Namierzyła go ekipa śmigłowca. Do jego kryjówki skierowano oddział antyterrorystów i w mgnieniu oka na ulicy zaroiło się od radiowozów, rozmaitych uzbrojonych funkcjonariuszy, snajperów, wilczurów, pojawiła się nawet karetka. Śmigłowiec schodził coraz niżej. Nikt nie chciał przegapić takiego widowiska. Przyjechała furgonetka telewizyjnych wiadomości i nadawała na żywo.

Theo oglądał transmisję. Nie spał od wczesnego rana, bo nie spał większość nocy, rzucał się i kręcił w łóżku, i zamartwiał o April. Siedział przy stole w kuchni, grzebał w talerzu płatków i razem z rodzicami patrzył na mały ekran na kuchennym blacie. Kiedy kamera pokazała zbliżenie antyterrorystów wyciągających kogoś z rowu, Theo opuścił łyżkę, złapał pilota i podgłośnił.

Jack Leeper wyglądał przerażająco. Miał poszarpane ubłocone ubranie, od paru dni się nie golił. Rozczochrane gęste czarne włosy sterczały na wszystkie strony. Wyglądał na wściekłego i opornego, wrzeszczał na policję, nawet napluł w kamerę. Kiedy wyszedł na ulicę i otoczyło go jeszcze więcej policjantów, jakiś reporter krzyknął:

– Hej, Leeper! Gdzie jest April Finnemore?!

Leeper uśmiechnął się paskudnie i odkrzyknął:

– Nigdy jej nie znajdziecie.

– Czy ona żyje?

– Nigdy jej nie znajdziecie.

– O mój Boże – powiedziała pani Boone.

Serce Theo zamarło, zabrakło mu tchu. Patrzył, jak Leepera wpychają do policyjnej furgonetki i jak potem odjeżdża. Reporter mówił coś do kamery, ale Theo go nie słyszał. Oparł głowę na dłoniach i zaczął płakać.

Rozdział 7

Na pierwszej lekcji mieli hiszpański, drugi ulubiony przedmiot Theo – zaraz po wiedzy o społeczeństwie z panem Mountem. Hiszpańskiego uczyła Madame Monique, młoda, piękna, egzotyczna dama z Kamerunu w zachodniej Afryce. Był tylko jednym z wielu znanych jej języków. Zazwyczaj szesnastu chłopców z grupy Theo chętnie uczestniczyło w tych lekcjach.

Ale dzisiaj cała szkoła była w szoku. Korytarze i klasy wypełniała nerwowa paplanina – w miarę jak rozchodziły się wieści o zniknięciu April. Czy ją porwano? A może uciekła? A co z tą jej dziwaczną matką? Gdzie jej ojciec? Cały dzień z entuzjazmem roztrząsano takie sprawy i jeszcze wiele innych. Ale teraz, po schwytaniu Jacka Leepera i jego pamiętnych słowach o April, wśród uczniów i nauczycieli zapanowały strach i niedowierzanie.

Madame Monique dobrze rozumiała sytuację. Ona też uczyła April, na czwartej lekcji, z grupą dziewcząt. Bez przekonania usiłowała wciągnąć chłopców w rozmowę o meksykańskim jedzeniu, ale byli za bardzo rozkojarzeni.

Na drugiej lekcji ósme klasy wezwano do auli, na apel. Pięć grup dziewczyn, pięć grup chłopców i wszystkich nauczycieli. W gimnazjum już trzeci rok trwał eksperyment polegający na rozdzielaniu płci podczas lekcji – ale tylko podczas lekcji. Jak dotąd, zbierał same dobre opinie. Jednak przez to, że większość czasu chłopcy i dziewczyny spędzali osobno, kiedy spotykali się na lunchu, przerwie, gimnastyce czy apelu, pojawiało się lekkie napięcie i trochę trwało, zanim się uspokoili. Ale nie dziś. Dziś wszyscy chodzili przygaszeni. Żadnego zwykłego popisywania się, flirtów, gapienia się albo nerwowych pogawędek. Wszyscy usiedli ponuro i w ciszy.

Dyrektor szkoły, pani Gladwell, przez większość apelu usiłowała ich przekonać, że z April na pewno wszystko w porządku. Policja jest przekonana, że niedługo ją znajdzie i April wróci do szkoły. Mówiła uspokajającym tonem, z otuchą, a ósmoklasiści byli już gotowi uwierzyć w każdą dobrą wiadomość. Ale potem do szkoły dotarł jakiś dźwięk – turkot nisko przelatującego śmigłowca, nie do pomylenia i wszyscy od razu wrócili myślami do gorączkowych poszukiwań koleżanki. Kilka dziewczyn otarło oczy.

Później, po lunchu, kiedy Theo i jego koledzy rozgrywali właśnie bez przekonania mecz frisbee, nad szkołą zabuczał kolejny śmigłowiec. Wyraźnie gdzieś się spieszył. Sądząc po oznaczeniach na kadłubie, należał do sił policyjnych. Grę przerwano. Chłopcy patrzyli w górę, dopóki śmigłowiec nie zniknął. Zabrzmiał dzwonek kończący przerwę na lunch i w ciszy wrócili do klasy.

Podczas lekcji zdawało się, że Theo i jego koledzy prawie zapominali o April – nawet jeśli tylko na chwilę. Ale jak tylko zdarzała się taka chwila, zresztą rzadko, gdzieś znad Strattenburga dochodził odgłos następnego śmigłowca – helikopter buczał, turkotał, rozglądał się jak gigantyczny owad szykujący się do ataku.

Całe miasto żyło w napięciu, tak jakby oczekiwano strasznych wiadomości. W kawiarniach, sklepach i biurach w centrum pracownicy i klienci rozmawiali ściszonymi głosami i powtarzali wszystkie pogłoski, jakie usłyszeli przez ostatnich trzydzieści minut. W gmachu sądu, jak zwykle dobrym źródle plotek, kanceliści i prawnicy zbierali się przy ekspresach do kawy i zbiornikach z wodą, gdzie wymieniali się najświeższymi wiadomościami. Lokalne stacje telewizyjne co pół godziny nadawały relacje na żywo. Te zapierające dech aktualności zwykle nie podawały nic nowego, a reporter znad rzeki tylko powtarzał to, co mówił już wcześniej.

W gimnazjum w Strattenburgu ósmoklasiści spokojnie odbywali kolejne codzienne zajęcia, ale większość z nich nie mogła już się doczekać powrotu do domu.

Jack Leeper, teraz w pomarańczowym kombinezonie z czarnymi literami „Areszt miejski" z przodu i na plecach, został doprowadzony do pokoju przesłuchań w podziemiach strattenburskiej komendy policji. Pośrodku stały niewielki stół i składane krzesło dla podejrzanego. Po drugiej stronie blatu siedziało dwóch detektywów, Slater i Capshaw. Umundurowani policjanci z eskorty Leepera zdjęli mu kajdanki z rąk i nóg, potem wycofali się pod drzwi. Zostali jako ochrona, ale tak naprawdę nie byli potrzebni. Detektywi Slater i Capshaw na pewno sami umieli sobie poradzić.

– Proszę, panie Leeper – powiedział detektyw Slater, wskazując puste składane krzesło. Leeper usiadł powoli. W areszcie wziął prysznic, ale się nie ogolił i wciąż wyglądał jak obłąkany przywódca sekty, który właśnie spędził miesiąc w lesie.

– Jestem detektyw Slater, a to mój partner, detektyw Capshaw.

– Chłopaki, spotkanie z wami to czysta przyjemność – burknął Leeper.

– Och, cała przyjemność po naszej stronie – odparł Slater z równym sarkazmem.

– Wręcz prawdziwy zaszczyt – dodał Capshaw, w jednej z tej rzadkich chwil, kiedy w ogóle się odzywał.

Slater był detektywem weteranem, najwyższym stopniem i najlepszym w całym Strattenburgu. Niezwykle kościsty, o łysej ogolonej głowie, nosił tylko czarne garnitury i czarne krawaty. W mieście popełniano bardzo niewiele brutalnych przestępstw, ale jeśli już popełniano, detektyw Slater załatwiał sprawę i prawie zawsze doprowadzał zbrodniarza przed oblicze sprawiedliwości. Jego pomocnik Capshaw obserwował, notował i robił za tego milszego, kiedy uznawali, że trzeba grać dobrego i złego gliniarza.

– Chcielibyśmy zadać panu kilka pytań – oznajmił Slater. – Będzie pan mówił?

– Może.

Capshaw machnął kartką i wręczył ją Slaterowi, który powiedział:

– No dobra, panie Leeper, jak pan dobrze wie dzięki swojej długiej karierze zawodowego bandziora, najpierw musimy poinformować pana o pańskich prawach. Pamięta pan, prawda?

Leeper popatrzył na Slatera tak, jakby chciał sięgnąć nad stołem i złapać go za gardło, ale Slater ani trochę się nie przejął.

– Panie Leeper, słyszał pan o prawach aresztowanego? – pytał dalej Slater.

– No.

– Jasne, że pan słyszał. Na pewno, przez lata był pan już w wielu takich pokojach – stwierdził Slater z paskudnym uśmiechem. Leeper się nie uśmiechał. Capshaw już notował.

– Po pierwsze, nie musi pan z nami rozmawiać i już – ciągnął Slater. – Zrozumiał pan?

Leeper pokiwał głową, że zrozumiał.

– Ale jeśli pan będzie z nami rozmawiał, to wszystko, co pan powie, może zostać użyte w sądzie przeciwko panu, jasne?

– No.

– Ma pan prawo do adwokata i porady prawnej. Zrozumiał pan?

– No.

– A jeśli nie stać pana na adwokata, a jestem pewien, że nie stać, to władze stanu zapewnią panu prawnika. Nadąża pan?

– No.

Slater przysunął Leeperowi kartkę i oznajmił:

– Jeśli pan tu podpisze, to potwierdzi pan, że wyjaśniłem panu pańskie prawa i że pan dobrowolnie z nich rezygnuje.

U góry kartki położył długopis. Leeper odczekał chwilę, przeczytał, pobawił się długopisem, aż wreszcie wpisał swoje nazwisko.

– Mogę dostać kawy? – zapytał.

– Ze śmietanką i cukrem? – zapytał Slater.

– Nie, tylko czarnej.

Slater skinął głową na jednego z umundurowanych policjantów i policjant wyszedł z pokoju.

– Teraz chcemy zadać panu kilka pytań – powiedział. – Jest pan gotowy odpowiadać?

– Może.

– Dwa tygodnie temu był pan w więzieniu w Kalifornii, odbywał pan wyrok dożywocia za porwanie. Uciekł pan podkopem, razem z sześcioma innymi więźniami, a teraz jest pan tu, w Strattenburgu.

– Chce pan o coś zapytać?

– Tak, panie Leeper, chcę zapytać. Dlaczego przyjechał pan do Strattenburga?

– Musiałem gdzieś pojechać. Przecież nie mogłem się szwendać koło więzienia, wie pan, o czym mówię?

– Tak sądzę. Kiedyś pan tu mieszkał, prawda?

– Jak byłem dzieciakiem, chyba tak w szóstej klasie. Przez rok chodziłem tu do ogólniaka, a potem się wyprowadziliśmy.

– Ma pan tu jakichś krewnych?

– Kilku dalekich.

– Jedną z pańskich dalekich krewnych jest Imelda May Underwood, której matka miała kuzynkę Ruby Dell Butts, której ojcem był Franklin Butt, lepiej znany w Massey's Mills jako „Łańcuch" Butt. „Łańcuch" miał przyrodniego brata o nazwisku Winstead Leeper, w skrócie „Winky", który, jak sądzę, był pana ojcem. Zmarł jakieś dziesięć lat temu.

Leeper wysłuchał wszystkiego i wreszcie odpowiedział:

– Tak, Winky Leeper był moim ojcem.

– Więc gdzieś podczas tych wszystkich rozwodów i nowych ślubów stał się pan dalekim kuzynem Imeldy May Underwood, która wyszła za faceta o nazwisku Thomas Finnemore i teraz używa nazwiska May Finnemore i jest matką małej April. Panie Leeper, czy to się panu zgadza?

– Z rodziny nigdy nie miałem żadnego pożytku.

– Hm, rodzina też nie jest chyba z pana zbyt dumna.

Otworzyły się drzwi i policjant postawił na stole przed Leeperem papierowy kubek z czarną parującą kawą. Wydawała się za gorąca do picia, więc Leeper tylko się na nią gapił. Slater przerwał na chwilę, a potem ciągnął:

– Mamy kopie pięciu listów, które April napisała do pana do więzienia. Takie słodkie i dziecięce. Było jej pana żal i chciała z panem korespondować. Czy pan jej odpisywał?

– No.

– Jak często?

– Nie wiem. Pewnie z parę razy.

– Wrócił pan do Strattenburga, żeby się zobaczyć z April?

Leeper podniósł w końcu kubek i upił łyk kawy. Powoli odpowiedział:

– Nie jestem pewien, czy chcę odpowiadać na to pytanie.

Detektyw Slater, po raz pierwszy, wydał się zdenerwowany.

– Panie Leeper, dlaczego się pan boi tego pytania?

– Nie muszę panu odpowiadać. Tak jest jasno napisane na tym pana świstku. Mogę stąd wyjść, teraz, zaraz. Znam przepisy.

– Wrócił pan do Strattenburga, żeby się zobaczyć z April?

Leeper pociągnął kolejny łyk kawy i przez dłuższy czas się nie odzywał. Czterech policjantów wpatrywało się w niego, a on w papierowy kubek. Wreszcie powiedział:

– Słuchajcie, wygląda to tak. Wy chcecie czegoś. Ja czegoś chcę. Wy chcecie dziewczyny. Ja chcę zawrzeć układ.

– Jaki układ, Leeper? – odwarknął Slater.

– Och, a jeszcze przed chwilą było „panie Leeper". Teraz tylko Leeper. Czy ja pana denerwuję, detektywie? Bo jeśli tak, to mi naprawdę przykro. Oto, o co mi chodzi. Wiem, że wrócę do więzienia, ale słowo, mam już dosyć tej Kalifornii. Tam więzienia są ostre, zatłoczone, z gangami, przemocą i zepsutym żarciem. Wie pan, o czym mówię, detektywie Slater?

Slater nigdy nie był w więzieniu, ale żeby kontynuować rozmowę, odparł:

– Jasne.

– Chcę odsiedzieć wyrok tam, gdzie pierdle są milsze. Wiem, bo się dobrze różnym przyjrzałem.

– Leeper, gdzie jest dziewczynka? – zapytał Slater. – Jeśli ją porwałeś, to spodziewaj się kolejnego dożywocia. A jak nie żyje, to spodziewaj się celi śmierci.

– A dlaczego miałbym skrzywdzić moją małą kuzyneczkę?

– Leeper, gdzie ona jest?

Kolejny łyk kawy, potem Leeper założył ramiona na piersi i uśmiechnął się szeroko do detektywa Slatera. Tykały kolejne sekundy.

– Pogrywasz z nami, Leeper – stwierdził detektyw Capshaw.

– Może tak, może nie. Czy w grę wchodzi tutaj jakaś nagroda?

– Nie dla ciebie – odparł Slater.

– A czemu nie? Dajcie mi trochę pieniędzy, jak już was zabiorę do dziewczyny.

– To tak nie działa.

– Pięćdziesiąt tysięcy dolców i możecie ją mieć.

– Leeper, a co ty zrobisz z pięćdziesięcioma tysiącami dolców? – zapytał Slater. – Przecież będziesz siedział resztę życia.

– Och, w więzieniu pieniądze się przydają. Dajecie mi pieniądze, załatwiacie, żebym odsiedział swoje tutaj, i ubijamy interes.

– Jesteś jeszcze głupszy, niż myślałem – odparł zdenerwowany Slater.

A Capshaw szybko dodał:

– A jeszcze zanim zaczęliśmy tę rozmowę, już mieliśmy cię za głupiego.

– No dalej, chłopaki. To wam nic nie da. Mamy umowę?

– Leeper, nie ma żadnej umowy – stwierdził Slater.

– To bardzo źle.

– Żadnej umowy, ale mogę ci coś obiecać. Jeśli tej małej coś się stało, to nie odpuszczę ci aż do śmierci.

Leeper roześmiał się na głos i oznajmił:

– Uwielbiam, jak gliny zaczynają grozić. Chłopaki, to koniec. Nic wam więcej nie powiem.

– Leeper, gdzie jest dziewczyna? – spytał groźnie Capshaw.

Leeper tylko uśmiechnął się szeroko i pokręcił głową.

Rozdział 8

Theo nie miał ochoty zostawać po lekcjach i patrzeć, jak dziewczyny grają w piłkę. Sam nie grał, zresztą nie miał wyboru. Astma nie pozwalała mu robić rzeczy, które wymagały wysiłku fizycznego, zresztą pewnie i tak nie grałby w futbol, nawet bez astmy. Próbował, jak miał sześć lat, jeszcze przed chorobą, i jakoś nigdy się nie wciągnął. Kiedy skończył dziewięć lat i grał w bejsbol, upadł przy trzeciej bazie i to zakończyło jego krótką karierę w sportach zespołowych. Zajął się golfem.

Ale pan Mount uwielbiał piłkę nożną, a nawet grał w nią w college'u. Uczniowie, którzy też grali w piłkę, mieli u niego taryfę ulgową. W gimnazjum w Strattenburgu obowiązywała niepisana zasada, że dziewczyny kibicują chłopakom – i na odwrót.

Każdego innego dnia Theo pewnie oglądałby sobie mecz z trybun, od czasu do czasu śledząc grę, ale tak naprawdę obserwując dwadzieścia dwie dziewczyny na boisku – i jeszcze te z ławki rezerwowych. Ale nie dziś. Dziś chciał się znaleźć gdzie indziej, na rowerze i rozdawać ulotki z napisem „Zaginiona". Chciał robić cokolwiek, co tylko pomogłoby znaleźć April.

To był fatalny dzień na jakiekolwiek zabawy. Dzieciaki ze Strattenburga chodziły rozkojarzone. Zawodniczkom i ich fanom brakowało energii. Nawet drużyna przeciwna, z odległego o siedemdziesiąt kilometrów Elksburga, wydawała się jakaś przygaszona. Kiedy po dziesięciu minutach od rozpoczęcia meczu przeleciał kolejny śmigłowiec, wszystkie dziewczyny na boisku na chwilę przerwały grę i z obawą spojrzały w górę.

Dokładnie jak się spodziewano, pan Mount stopniowo przybliżał się do grupki nauczycielek. Jedną z najgorzej pilnowanych tajemnic szkoły było, że pan Mount ma słabość do panny Highlander, olśniewającej matematyczki siódmej klasy, zaledwie dwa lata po college'u. Każdy siódmo- i ósmoklasista rozpaczliwie i w sekrecie się w niej kochał, a pan Mount najwyraźniej też się nią interesował. Miał jakieś trzydzieści pięć lat, był samotnym i jak dotąd najlepszym nauczycielem w całej szkole, a szesnastu chłopaków z klasy prawie na siłę pchało go, żeby zalecał się do panny Highlander.

Gdy pan Mount już wykonał swój ruch, zrobił to także Theo. Słusznie założył, że uwaga nauczyciela zaraz skupi się na czymś zupełnie innym niż dotąd i że właśnie nastał świetny moment, żeby ulotnić się po cichu. I Theo, razem z jeszcze trzema chłopakami, powoli odpłynął z boiska. Po chwili siedzieli już na rowerach i pędem oddalali się od szkoły. Ekipa poszukiwawcza była teraz znacznie mniejsza. I to celowo. W skład wczorajszej wchodziło za dużo dzieciaków, mieli za dużo różnych pomysłów i robili za dużo rzeczy, które mogli zauważyć policjanci tacy jak Bard. Zresztą gdy teraz, w czasie lekcji, Theo i Woody wzięli się do organizowania poszukiwań, znalazło się już mniej ochotników. Niewielu kolegów Theo podzielało jego palącą potrzebę odnalezienia April. Jasne, wszyscy się martwili, ale wielu uważało, że poszukiwania prowadzone przez dzieciaki na rowerach to tylko strata czasu. Policja ma przecież antyterrorystów, śmigłowce, psy i mnóstwo ludzi. A skoro nawet oni nie potrafili znaleźć April, dalsze poszukiwania są bezcelowe.

Theo, razem z Woodym, Aaronem i Chase'em, wrócili do Delmont i przez kilka minut kręcili się po ulicach, żeby się upewnić, czy policja wszędzie już była. Nie zauważyli żadnych policjantów, więc szybko zaczęli rozdawać ulotki i przyczepiać je do słupów. Obejrzeli kilka pustych budynków, zajrzeli do paru opuszczonych mieszkań, przeczesali zarośnięty rów melioracyjny, sprawdzili pod dwoma mostami. Przeszukali już spory teren, kiedy starszy brat Woody'ego zadzwonił na jego komórkę. Woody zamarł, posłuchał z uwagą, a potem oznajmił:

– Znaleźli coś nad rzeką.

– Co?

– Nie jestem pewien, ale brat słucha policyjnej częstotliwości i mówił, że gadają jak najęci. Cała policja tam jedzie.

– Jedziemy – oznajmił Theo bez chwili wahania.

Ruszyli pędem, wyjechali z Delmont, minęli Stratten College, dotarli do centrum, a kiedy dojeżdżali do wschodniego końca Main Street, zobaczyli, że aż się tam roi od radiowozów i policjantów. Ulica była zablokowana, okolice mostu odcięte. Powietrze aż ciężkie od napięcia. Do tego jeszcze hałas – nad rzeką unosiły się dwa śmigłowce. Na chodnikach stali sklepikarze i ich klienci, gapili się w dal i czekali, co się wydarzy. Cały ruch uliczny kierowano tak, żeby omijał most i rzekę.

Kiedy chłopcy się przyglądali, cicho podjechał do nich radiowóz. Kierowca odsunął szybę i warknął:

– Co tu robicie?

Znowu funkcjonariusz Bard.

– Jeździmy sobie na rowerach – odpowiedział Theo. – To nie jest wbrew prawu.

– Boone, ty mi tutaj nie cwaniakuj. Chłopaki, jak was zobaczę gdzieś w okolicy rzeki, to przysięgam, że zamknę.

Theo przyszło na myśl kilka rzeczy, jakie mógłby teraz powiedzieć – z których wszystkie doprowadziłyby do jeszcze większych kłopotów. Dlatego zacisnął zęby i uprzejmie oznajmił:

– Tak jest, proszę pana.

Bard uśmiechnął się zadowolony z siebie, a potem ruszył w stronę mostu.

– Jedźcie za mną – oznajmił Woody. Mieszkał w East Bluff, blisko rzeki, na łagodnym wzniesieniu, które przechodziło w nadrzeczne niziny. To była podejrzana dzielnica, pełna wąskich uliczek, ciemnych alejek, strumyków i ślepych zaułków. Zasadniczo bezpieczna, chociaż miała swoje barwne opowieści o dziwnych zdarzeniach. Ojciec Woody'ego, szanowany kamieniarz, całe życie przemieszkał w East Bluff. Jego rodzina była duża, z mnóstwem ciotek, wujów i kuzynów, a wszyscy mieszkali blisko siebie.

Dziesięć minut po spotkaniu z funkcjonariuszem Bardem chłopcy już pędzili przez East Bluff wąską nieutwardzoną drogą, która pięła się zygzakami obok rzeki. Woody zasuwał jak wariat, inni ledwo za nim nadążali. Był w swoim żywiole, tymi ścieżkami jeździł, odkąd skończył sześć lat. Minęli żwirową szosę, zjechali na łeb, na szyję ze stromego wzniesienia, wystrzelili w górę po drugiej stronie i nieźle podskoczyli, zanim wylądowali na ścieżce. Theo, Aaron i Chase byli przerażeni, ale i za bardzo podekscytowani, żeby zwolnić. I oczywiście bardzo nie chcieli dać się przegonić Woody'emu, który zaraz by ich wyśmiał. Wreszcie ze ślizgiem zatrzymali się na małym wzniesieniu, w trawiastej okolicy, skąd zza kilku drzew już było widać rzekę.

– Chodźcie – polecił Woody.

Zostawili rowery. Łapiąc się pnączy, popędzili w dół klifu, na skalną półkę, pod którą rozciągała się Yancey. Nic nie zasłaniało im stamtąd widoku.

Kilometr, dwa dalej stały rzędy małych pomalowanych na biało domów, gdzie mieszkały „rzeczne szczury", a dalej most, po którym teraz pełzały policyjne samochody. Po drugiej stronie rzeki, blisko mostu, właśnie jechała karetka. Na łodziach siedzieli policjanci, kilku w kombinezonach płetwonurków. Atmosfera wydawała się napięta, wręcz gorączkowa. Kiedy zawyły syreny, policjanci nagle zaczęli się spieszyć, a śmigłowce zniżyły lot, jakby przypatrując się wszystkiemu z góry.

Coś znaleźli.

Chłopcy dłuższy czas przesiedzieli na klifie i niewiele mówili. Poszukiwania, ratunek, wydobycie – cokolwiek to było – postępowały wolno. Każdy myślał o tym samym, że właśnie oglądają prawdziwe miejsce zbrodni, której ofiarą padła ich koleżanka, April Finnemore, i że zrobiono jej coś strasznego, a potem wrzucono do rzeki.

Najwyraźniej już nie żyła, bo wydobywanie z wody, a potem jazda do szpitala nie trwały zbyt długo. Pojawiło się jeszcze więcej radiowozów, jeszcze więcej chaosu.

– Myślicie, że to April? – zapytał wreszcie Chase, nie mówiąc do nikogo konkretnego.

– A kto inny może być? – warknął Woody. – Nie codziennie do miasta przypływa jakiś trup.

– Wcale nie wiesz, kto albo co to jest – stwierdził Aaron.

Zwykle znajdował jakąś okazję, żeby pospierać się z Woodym, który wypowiadał pochopne sądy na prawie każdy temat.

W kieszeni Theo zabuczała komórka. Zerknął na nią – dzwoniła pani Boone, z telefonu służbowego.

– To moja mama – oznajmił nerwowo, a potem odebrał. – Cześć mamo.

– Theo, gdzie jesteś?

– Właśnie wyszedłem z meczu piłki nożnej – odpowiedział, krzywiąc się dziwnie w stronę kolegów.

Tak do końca nie kłamał, ale i nieźle odbiegał od prawdy.

– Wygląda na to, że policja znalazła w rzece jakieś ciało, na drugim brzegu, niedaleko mostu – oznajmiła pani Boone.

Jeden ze śmigłowców, czerwono-żółty, z dumnym napisem „Kanał 5", najwyraźniej przekazywał wszystko na żywo. Pewnie oglądało to teraz całe miasto.

– Zidentyfikowali je? – zapytał Theo.

– Nie, jeszcze nie. Theo, ale to nie mogą być dobre wiadomości.

– To okropne.

– Kiedy będziesz w kancelarii?

– Za dwadzieścia minut.

– Dobra, Theo. Proszę, uważaj na siebie.

Karetka ruszyła znad rzeki i wjechała na most, gdzie sznur policyjnych aut ustawił się w jej eskortę. Cała procesja, przyspieszając, przemierzyła rzekę, a za nią poleciały śmigłowce.

– Jedziemy – oznajmił Theo, a chłopcy powoli wspięli się na klif i wsiedli na rowery.

Na pierwszym piętrze kancelarii Boone & Boone, niedaleko miejsca, gdzie pracowała Elsa i miała na wszystko oko, znajdowała się duża biblioteka prawnicza. Theo lubił ten pokój najbardziej. Uwielbiał rzędy grubych poważnych książek i jeszcze ten długi mahoniowy stół konferencyjny. Używano go przy wszystkich ważnych spotkaniach – zeznaniach pod przysięgą, omawianiu ugód, a w przypadku pani Boone także przygotowań do procesu. Od czasu do czasu chodziła na rozprawy rozwodowe. Pan Boone nie odwiedzał sądu. Specjalizował się w nieruchomościach i rzadko opuszczał swój gabinet na piętrze. Ale czasem korzystał z biblioteki, żeby zawierać tu umowy.

Na Theo czekano w bibliotece. Na dużym płaskim telewizorze leciały właśnie lokalne wiadomości, które oglądali rodzice i Elsa. Kiedy wszedł, matka przytuliła go, a potem przytuliła go i Elsa. Usiadł obok telewizora, z matką po jednej, a z Elsą po drugiej stronie. Obie poklepały go po kolanie, jakby dopiero co wymknął się śmierci. W telewizji mówiono tylko o odnalezieniu ciała i przewiezieniu do miejskiej kostnicy, gdzie przedstawiciele władz zajmowali się teraz różnymi ważnymi sprawami. Reporterka nie bardzo wiedziała, co właśnie dzieje się w kostnicy, a nie potrafiła znaleźć żadnego świadka, który miałby ochotę o tym mówić. Więc tylko coś paplała, jak zwykle.

Theo chciał opowiedzieć o wszystkim, o tym, że patrzył z góry na rzekę, ale mógłby tylko skomplikować sprawę.

Reporterka podawała, że policjanci współpracują z inspektorami ze stanowego laboratorium kryminalistyki i mają nadzieję dowiedzieć się czegoś więcej w ciągu kilku najbliższych godzin.

– Biedna dziewczyna – powiedziała Elsa, nie po raz pierwszy.

– Dlaczego tak mówisz? – zapytał Theo.

– Przepraszam.

– Nie wiesz, czy to w ogóle jakaś dziewczyna. Nie wiesz, czy to April. Nie wiemy nic, prawda?

Dorośli spojrzeli po sobie. Obie kobiety w dalszym ciągu klepały Theo po kolanie.

– Theo ma rację – stwierdziła pani Boone, ale tylko po to, żeby uspokoić syna.

Po raz setny pokazano zdjęcie Jacka Leepera i przybliżono jego sylwetkę. Kiedy stało się jasne, że nie pojawi się nic nowego, program zaczął nużyć. Pan Boone gdzieś się ulotnił. Na panią Boone czekała w holu klientka. Elsa musiała odebrać telefon.

Theo poszedł wreszcie do swojego biura na tyłach kancelarii. Sędzia ruszył za nim. Theo długo głaskał go po głowie i mówił do niego, i wkrótce obaj poczuli się lepiej. Theo położył nogi na stole i rozejrzał się po małym gabinecie. Popatrzył na ścianę, gdzie wisiał jego ulubiony rysunek, na którego widok zawsze się uśmiechał. Staranny szkic ołówkiem przedstawiał młodego prawnika Theodore'a Boone'a w są-

dzie, w garniturze i krawacie. Nad głową przelaty-
wał mu sędziowski młotek, a przysięgli ryczeli ze
śmiechu. Podpis głosił: „Wniosek uchylony". W dol-
nym rogu po prawej artystka nagryzmoliła: „April
Finnemore". Theo dostał rysunek rok temu, na urodziny.

Czy jej kariera skończyła się, zanim się w ogóle zaczęła? Czy April już nie żyła, urocza trzynasto-
latka, brutalnie uprowadzona i zamordowana dlatego, że nikt się nią nie opiekował? Theo zadrżały ręce, zaschło mu w ustach. Zamknął drzwi na klucz,
a potem podszedł do rysunku i delikatnie dotknął
jej nazwiska. Oczy mu zawilgotniały i zaczął płakać.
Osunął się na podłogę i płakał jeszcze długo. Sędzia
usadowił się obok i patrzył na niego smutnym wzrokiem.

Rozdział 9

Minęła godzina, ściemniło się. Theo usiadł przy niewielkim biurku – stoliku karcianym, na którym leżały różne prawnicze rzeczy: terminarze, mały cyfrowy zegarek, zestaw długopisów udających wieczne pióra, drewniana plakietka z jego nazwiskiem. Przed sobą miał otwartą książkę do algebry. Wpatrywał się w nią przez długi czas i nie był w stanie odczytać słowa czy odwrócić strony. Zeszyt też miał otwarty, a strony niezapisane.

Nie umiał myśleć o niczym poza April i przerażeniu, kiedy przyglądał się z oddali, jak policja wyławia jej ciało z rzeki Yancey. Tak naprawdę nie zobaczył żadnego ciała, ale widział policję i nurków wokół czegoś, co gorączkowo usiłowali wydobyć. Najwyraźniej ciało. Kogoś nieżywego. Bo po co zjawiłaby się policja i robiła to, co robiła? Przecież w tym tygodniu w Strattenburgu nikt inny nie zaginął, zresztą w tym roku w ogóle nikt nie zaginął. Lista zawierała tylko jedno nazwisko i Theo był przekonany, że April już nie żyje. Została uprowadzona, zamordowana, a potem wrzucona do wody przez Jacka Leepera.

Nie mógł się już doczekać procesu Leepera. Miał nadzieję, że dojdzie do tego szybko, w sądzie hrabstwa, tylko kilka ulic dalej. Oglądałby każdą jego chwilę, choćby miał uciekać ze szkoły. Może nawet powołano by go na świadka. Nie do końca wiedział, co mógłby zeznać, ale powiedziałby cokolwiek, żeby tylko przygwoździć Leepera, doprowadzić do jego skazania i pozbyć się raz na zawsze. To byłaby wspaniała chwila – Theo, powołany na świadka, wkracza do zatłoczonej sali sądowej, kładzie rękę na Biblii, przysięga mówić prawdę i tylko prawdę, potem zajmuje miejsce, uśmiecha się do sędziego Henry'ego Gantry'ego, spogląda z ufnością w oblicza przysięgłych i licznie zgromadzonej widowni – a następnie patrzy prosto w okropną twarz Jacka Leepera, bez strachu i na otwartym procesie. Im więcej myślał o tej scenie, tym bardziej mu się podobała. Przecież istniała spora szansa, że jest ostatnią osobą, z którą April rozmawiała przed uprowadzeniem. Mógłby zeznać, że była przestraszona, i co zaskakujące, sama.

Sposób wejścia! To była ważna sprawa. Jak napastnik dostał się do domu? A może tylko Theo wiedział, że April pozamykała wszystkie drzwi, okna i nawet powstawiała krzesła pod klamki? W takim razie, przy braku śladów włamania, to by oznaczało, że znała porywacza. Znała Jacka Leepera. W jakiś sposób przekonał ją, żeby otworzyła drzwi.

Kiedy Theo odtworzył już ostatnią rozmowę z April, doszedł do wniosku, że oskarżenie rzeczywiście mogłoby powołać go na świadka. Przez kilka chwil widział siebie w sali sądowej, a potem nagle o wszystkim zapomniał. Wrócił szok i Theo uświadomił sobie, że znowu ma wilgotne oczy. Gardło mu się ścisnęło, rozbolał brzuch. Nagle zapragnął być z kimś. Elsa już sobie poszła, Dorothy i Vince też. U matki siedziała klientka, drzwi były zamknięte. Ojciec, na górze, przesuwał papiery po stole i próbował dokończyć jakąś ważną sprawę. Theo wstał, przeszedł nad Sędzią i spojrzał na rysunek od April. Znowu dotknął jej imienia.

Spotkali się jeszcze w przedszkolu, chociaż Theo nie potrafił sobie dokładnie przypomnieć, kiedy i jak to było. Czterolatki tak naprawdę się nie poznają i nie przedstawiają się sobie. Po prostu zjawili się w jednej szkole i tak się poznali. April trafiła do jego klasy. Uczyła ich pani Sansing. W pierwszej i drugiej klasie April była w innej grupie i Theo prawie jej nie widywał. W trzeciej klasie wkroczyły już do akcji naturalne siły dorastania, więc chłopcy nie chcieli mieć nic wspólnego z dziewczynkami – i z wzajemnością. Theo pamiętał niejasno, że na rok albo dwa lata April się wyprowadziła. Zapomniał o niej, tak jak o większości dzieciaków z klasy. Ale pamiętał dzień, kiedy wróciła. Był w szóstej klasie, u pana Hancocka. Trwał drugi tydzień szkoły – i wtedy otworzyły się drzwi i pojawiła się April. Przedstawiła ją sekretarka dyrektora, która oznajmiła, że rodzina April właśnie sprowadziła się do Strattenburga. April wydawała się zakłopotana, że zwraca na siebie uwage. Kiedy usiadła w ławce obok Theo, zerknęła na niego, uśmiechnęła się i powiedziała: „Cześć, Theo". Theo też się uśmiechnął, ale nie potrafił nic powiedzieć.

Większość klasy pamiętała April i chociaż była cicha i nieśmiała, bez problemu na nowo zaprzyjaźniła się z dziewczynkami. Nie była może jakaś szczególnie lubiana, bo się o to nie starała. Ale nie była też nielubiana, bo naprawdę była miła, rozsądna i bardziej dojrzała od reszty. Okazała się na tyle niezwykła, żeby wzbudzać zainteresowanie. Ubierała się raczej jak chłopak niż dziewczyna, włosy nosiła bardzo krótkie. Nie lubiła sportu, telewizji czy Internetu. Zamiast tego malowała, interesowała się sztuką i mówiła o przeprowadzce do Paryża albo

Santa Fe, gdzie mogłaby zajmować się tylko malarstwem. Lubiła sztukę współczesną, ku zaskoczeniu i rówieśników, i nauczycieli.

Wkrótce rozeszły się plotki o jej dziwnej rodzinie, o rodzeństwie, którego imiona były nazwami miesięcy, o zwariowanej matce rozwożącej kozi ser i ciągle nieobecnym ojcu. Przez szóstą klasę i jeszcze w siódmej April stawała się coraz bardziej ponura i zamknięta w sobie. W szkole bardzo rzadko się odzywała, a nieobecności miała więcej niż inni.

Kiedy obudziły się hormony i runęły bariery między płciami, dla każdego chłopaka zaczęło być czymś fajnym mieć dziewczynę. Adorowano i podrywano co ładniejsze i bardziej lubiane – ale nie April. Nie okazywała zainteresowania chłopakami, nie miała pojęcia, co robić, kiedy zaczynał się flirt. Chodziła z głową w chmurach, często żyła we własnym świecie. Theo ją lubił. Lubił od dawna, ale była zbyt nieśmiała i za bardzo skryta, żeby wykonać pierwszy ruch. Sam zbyt dobrze nie wiedział, co powinien zrobić, a April wydawała się nieodstępna.

To stało się na WF-ie, w chłodne śnieżne popołudnie pod koniec lutego. Dwie grupy siódmoklasistów właśnie zaczęły godzinną sesję tortur pod wodzą pana Barta Tylera, młodego i energicznego wuefisty, który zachowywał się jak sierżant marines. Uczniowie, chłopcy i dziewczyny, właśnie skończyli serię morderczych biegów, kiedy Theo nagle stracił oddech. Pobiegł do plecaka w kącie sali, wyjął inhalator i wciągnął kilka haustów lekarstwa. Coś podobnego zdarzało mu się już od czasu do czasu i chociaż koledzy to rozumieli, zawsze było mu głupio. Miał zresztą zwolnienie z WF-u, ale chciał ćwiczyć.

Pan Tyler wykazał się stosowną troską i odprowadził Theo na ławkę. Theo czuł się poniżony. Potem pan Tyler odszedł, zaczął dmuchać w gwizdek i krzyczeć. Wtedy April Finnemore odłączyła się od reszty. Usiadła obok Theo, bardzo blisko.

– Nic ci nie jest? – zapytała.

– W porządku – odparł i zaczął myśleć, że atak astmy nie był taki zły. Położyła mu dłoń na kolanie i spojrzała na niego z troską.

Jakiś donośny głos zawołał:

– Hej, April, co ty wyrabiasz?

Krzyczał pan Tyler.

Spokojnie odwróciła się i odparła:

– Robię sobie przerwę.

– O, czyżby? Nie przypominam sobie, żebym ci pozwolił na przerwę. Wracaj do reszty.

– Powiedziałam, że robię sobie przerwę – odparła lodowato.

Pan Tyler umilkł na chwilę, potem zdołał jeszcze zapytać:

– A dlaczego?

– Bo mam astmę, tak jak Theo.

Wtedy nikt nie wiedział, czy April mówi prawdę, czy może nie, ale wydawało się, że nikt, a już zwłaszcza pan Tyler, nie zamierza naciskać.

– No dobra, dobra – powiedział i dmuchnął w gwizdek na resztę dzieciaków. Po raz pierwszy w swoim krótkim życiu Theo aż drżał z radości, że ma astmę.

Przez resztę WF-u Theo i April siedzieli na ławce tuż obok siebie, przyglądali się, jak inni się pocą i jęczą, chichotali z tych mniej wysportowanych, przedrzeźniali pana Tylera, plotkowali o kolegach, za którymi zbytnio nie przepadali, i w ogóle gadali sobie o życiu. Tamtego wieczoru po raz pierwszy spotkali się na Facebooku.

Nagłe pukanie do drzwi poderwało Theo. Potem zabrzmiał głos ojca:

– Theo, otwórz.

Theo szybko podszedł do drzwi i otworzył.

– Nic ci nie jest? – zapytał pan Boone.

– No jasne, tato.

– Słuchaj, przyszło dwóch policjantów, chcą z tobą rozmawiać.

Theo za bardzo się zmieszał, żeby coś odpowiedzieć.

– Tak do końca nie wiem – ciągnął ojciec – czego chcą, pewnie tylko dowiedzieć się jeszcze czegoś o April. Porozmawiaj z nimi w bibliotece. Ja i matka będziemy przy tobie.

– No dobra.

Spotkali się w bibliotece. Kiedy Theo wszedł, detektywi Slater i Capshaw stali i poważnymi głosami rozmawiali z panią Boone. Przedstawiono się, zajęto miejsca. Theo strzegli rodzice prawnicy siedzący po obu stronach. Detektywi byli naprzeciwko, po drugiej stronie stołu. Jak zwykle Slater mówił, a Capshaw notował.

– Przepraszam, że zjawiamy się tak bezceremonialnie – zaczął Slater – ale mogliście już państwo usłyszeć, że po południu wydobyto z rzeki ciało.

Cała trójka Boone'ów skinęła głowami. Theo nie zamierzał się przyznawać, że oglądał pracę policji z klifu po drugiej stronie rzeki. Nie chciał mówić nic poza tym, co konieczne.

– W laboratorium kryminalistycznym pracują teraz nad identyfikacją zwłok – ciągnął Slater. – Szczerze mówiąc, to niełatwe, bo ciało jest, powiedzmy, trochę w stanie rozkładu.

Supeł w piersi Theo zacisnął się jeszcze mocniej. Bolało go gardło i powtarzał sobie, że nie może się rozpłakać. April, w stanie rozkładu? Chciał teraz po prostu wrócić do domu, iść do pokoju, zamknąć drzwi na klucz, położyć się na łóżku, wgapić w sufit, a potem zapaść w śpiączkę i obudzić za rok.

– Rozmawialiśmy z jej matką – łagodnie powiedział Slater, bardzo cierpliwie i z wielkim współczuciem. – Powiedziała nam, że byłeś najlepszym przyjacielem April. Ciągle rozmawialiście, mnóstwo czasu spędzaliście razem. To prawda?

Theo pokiwał lekko głową, ale nie był w stanie mówić.

Slater zerknął na Capshawa, który odwzajemnił spojrzenie, nie przestając notować.

– Theo, potrzebujemy każdej informacji związanej z tym, w co April mogła być ubrana, kiedy zniknęła – oznajmił Slater.

– Ciało w laboratorium – dodał Capshaw – ma na sobie resztki ubrania. To by pomogło w identyfikacji.

Kiedy tylko Capshaw przerwał, od razu wtrącił się Slater:

– Z pomocą jej matki sporządziliśmy listę ubrań. Powiedziała, że mogłeś dać jej jakąś rzecz. Jakąś bejsbolową kurtkę.

Theo przełknął z trudem i spróbował odpowiedzieć wyraźnie.

– Tak, proszę pana. W zeszłym roku dałem April bejsbolową kurtkę Twinsów i czapkę Twinsów.

Capshaw pisał jeszcze szybciej.

– Możesz opisać kurtkę? – zapytał Slater.

Theo wzruszył ramionami.

– Jasne. Była ciemnoniebieska, z czerwonym obszyciem, w barwach Minnesoty, ze słowem „Twins" na plecach biało-czerwonymi literami.

– Skórzana, sukienna, bawełniana, syntetyczna?

– Nie wiem, może syntetyczna. Podszewka była chyba bawełniana, ale nie jestem pewien.

Detektywi wymienili ponure spojrzenia.

– Mogę zapytać, dlaczego jej to dałeś? – zapytał Slater.

– Jasne. Wygrałem kurtkę w internetowym konkursie na stronie Twinsów, a że miałem już jedną czy dwie takie same, to dałem April. Była w dziecięcym rozmiarze M, za mała dla mnie.

– April jest fanką bejsbolu? – zapytał Capshaw.

– Nie całkiem. Nie przepada za sportem. Ten prezent to był taki żart.

– Często ją nosiła?

– Nigdy nie widziałem, żeby ją nosiła. Czapki chyba też nie.

– A dlaczego drużyna Twinsów? – zapytał Capshaw.

– Czy to naprawdę ważne? – rzuciła pani Boone przez stół. Capshaw się skrzywił, jakby dostał policzek.

– Nie, przepraszam.

– Do czego to zmierza? – zażądał odpowiedzi pan Boone.

Detektywi równocześnie westchnęli, a potem wzięli oddech. Odezwał się Slater.

– Nie znaleźliśmy takiej kurtki ani w szafie April, ani nigdzie indziej w jej pokoju czy w ogóle w domu. Sądzę, że możemy przyjąć, że miała ją na sobie, kiedy zniknęła. Na zewnątrz było jakieś piętnaście stopni, więc pewnie złapała pierwszą kurtkę z brzegu.

– A jakie ubranie jest na zwłokach? – zapytał pan Boone.

Detektywi równocześnie się skrzywili, a potem zerknęli po sobie.

– Pani Boone, tym razem naprawdę nie potrafimy odpowiedzieć. – Może nie wolno im było udzielać jakichkolwiek informacji, ale ich język ciała dawało się odczytać bez trudu. Kurtka opisana przez Theo pasowała do ubrania, które znaleźli na zwłokach. Przynajmniej zdaniem Theo.

Rodzice pokiwali głowami, jakby wszystko dokładnie zrozumieli, ale Theo nie rozumiał. Miał do policji jeszcze z tuzin pytań, brakowało mu jednak energii, by zacząć nimi strzelać.

– A co z kartoteką dentystyczną? – zapytał pan Boone.

Detektywi skrzywili się i pokręcili głowami.

– To niewykonalne – odparł Slater.

Ta odpowiedź podsunęła różne okropne wizje ciała – zmasakrowanego, uszkodzonego, może nawet bez szczęk.

Pani Boone wtrąciła się szybko.

– A co z testami DNA?

– Są robione – wyjaśnił Slater. – Ale to potrwa co najmniej trzy dni.

Capshaw powoli zamknął notatnik i schował długopis do kieszeni. Slater zerknął na zegarek. Nagle byli gotowi do wyjścia. Usłyszeli to, po co się zjawili, a jeśli teraz zostaliby dłużej, rodzina Boone'ów mogła zadać im więcej pytań o śledztwo, takich, na które nie chcieli odpowiadać.

Podziękowali Theo, wyrazili troskę o jego przyjaciółkę, życzyli dobrej nocy panu i pani Boone.

Theo został na krześle przy stole, gapił się tępo w ścianę, a w głowie miał plątaninę strachu, smutku i niedowierzania.

Rozdział 10

Matka Chase'a Whipple'a też była prawniczką. Ojciec sprzedawał komputery i zainstalował oprogramowanie w kancelarii Boone'ów. Rodziny od dawna się przyjaźniły, a jakoś tak w trakcie popołudnia obie matki uznały, że ich chłopcom przydałoby się trochę rozrywki. Może każdy potrzebował odpoczynku, żeby pomyśleć o czymś innym.

Odkąd Theo pamiętał, rodzice mieli sezonowe bilety na wszystkie mecze koszykówki i futbolu w Stratten College, niewielkiej uczelni z trzecioligową drużyną, osiem przecznic od centrum. Kupowali te bilety z paru powodów: po pierwsze, żeby wspierać miejscową drużynę; po drugie, rzeczywiście żeby obejrzeć sobie kilka meczów, chociaż akurat pani Boone nie lubiła piłki i chodziła na koszykówkę; a po trzecie, żeby zrobić przyjemność trenerowi z college'u, czepliwemu facetowi, który słynął z tego, że osobiście wzywał fanów drużyn i wiercił im dziurę w brzuchu, żeby kibicowali. Takie uroki miało życie w niewielkim mieście. Jeśli Boone'owie nie mogli przyjść na mecz, zwykle oddawali bilety klientom. Dobry interes.

Boone'owie spotkali się z Whipple'ami przy okienku kasy Memorial Hall, stadionu w stylu lat dwudziestych, w samym środku kampusu. Szybko weszli, znaleźli swoje miejsca – pośrodku trybun, w dziesiątym rzędzie. Mecz trwał od trzech minut i sekcja studentów ze Stratten całkiem się już rozkręciła. Theo siedział obok Chase'a, na skraju rzędu. Obie matki cały czas patrzyły na chłopców, jakby w ten okropny dzień trzeba ich było uważnie obserwować.

Chase, tak jak Theo, lubił sport, ale raczej jako kibic niż zawodnik. Był szalonym naukowcem, geniuszem w swojej dziedzinie, odważnym chemikiem eksperymentatorem, który już kiedyś spalił rodzinie magazyn, a kiedy indziej o mało nie zrównał garażu z ziemią. Jego doświadczenia obrosły już legendą, a każdy nauczyciel z gimnazjum w Strattenburgu starał się nie spuszczać Chase'a z oczu. Kiedy Chase był w laboratorium, nic nie było bezpieczne. A do tego był jeszcze komputerowym magikiem, maniakiem techniki, genialnym hakerem – co również przysparzało kłopotów.

– I jak tam obstawiają? – szepnął Theo do Chase'a.

– Stratten prowadzi ośmioma punktami.

– Kto tak mówi?

– Tak piszą w „Greensheet". – Mecze trzecioligowej koszykówki nie były ulubienicami hazardzistów i bukmacherów, ale istniało kilka zagranicznych stron internetowych, na których dawało się robić zakłady. Theo i Chase – ani nikt z ich znajomych – nie obstawiali, ale zawsze się interesowali, która drużyna stoi wyżej.

– Słyszałem, że byliście nad rzeką, kiedy znaleziono ciało – powiedział Chase, uważając, żeby go nikt nie usłyszał.

– Kto ci to powiedział?

– Woody. Wszystko mi mówi.

– No dobra, nie widzieliśmy samego ciała. Coś tam zobaczyliśmy, ale było daleko.

– Jak się domyślam, to musiało być ciało, no nie? To znaczy policja znalazła w rzece jakieś ciało, a wy wszystko widzieliście.

– Chase, może pogadajmy o czymś innym. Dobra?

Do tej pory Chase nie interesował się zbytnio dziewczynami, a April jeszcze mniej. I najwyraźniej ona nim też. W ogóle nie interesowała się chłopcami – poza Theo.

Na boisku zaczęła się przerwa i spomiędzy trybun wypadły czirliderki ze Stratten College, żeby popodskakiwać i popodrygiwać. Theo i Chase umilkli i zaczęli się uważnie przyglądać. Krótki występ czirliderek ich oczarował.

Po przerwie obie drużyny weszły na boisko i wróciły do gry. Pani Boone odwróciła się i spojrzała w dół, na chłopców. Potem to samo zrobiła pani Whipple.

– Dlaczego ciągle na nas patrzą? – mruknął Theo do Chase'a.

– Bo się o nas martwią. Theo, właśnie dlatego tu jesteśmy. Właśnie dlatego po meczu idziemy na pizzę. Uznały, że teraz jesteśmy naprawdę delikatni, bo jakiś bandzior, co zwiał z więzienia, złapał naszą koleżankę i wrzucił do rzeki. Mama powiedziała, że wszyscy rodzice zrobili się teraz tacy opiekuńczy.

Rozgrywający strattenburskiej drużyny, facet z metr dziewięćdziesiąt, mocno zakozłował, a tłum oszalał. Theo starał się zapomnieć o April, zapomnieć o Chasie i skupić się na grze. Po pierwszej połowie chłopcy poszli kupić popcorn. Theo szybko zadzwonił do Woody'ego po najświeższe wiadomości. Woody i jego brat nasłuchiwali na policyjnej częstotliwości i surfowali po sieci, ale jak dotąd policja niczego nie powiedziała. Nie zidentyfikowano ciała. Nic. Tylko cisza.

Restauracja U Santo była prawdziwą włoską pizzerią, niedaleko kampusu. Theo ją uwielbiał, bo zawsze siedziało tam mnóstwo studentów i oglądali mecze na ekranach wielkich telewizorów. Boone'owie i Whipple'owie znaleźli wolny stolik, a potem zamówili dwie „sycylijskie pizze Santo, słynne na cały świat". Theo nie miał siły, żeby się zastanawiać, czy pizza naprawdę jest taka słynna. Miał swoje wątpliwości, tak jak powątpiewał w sławę wafli Gertrudy albo ciasteczek czekoladowych pana Dudleya. Bo skąd w takim małym mieście jak Strattenburg aż trzy dania światowej sławy?

Ale dał sobie spokój.

Stratten College przegrało mecz w ostatniej minucie i zdaniem pana Boone'a trener popełnił poważny błąd, nie wykorzystując lepiej przerw w grze. Pan Whipple nie był już tego taki pewien i rozgorzała dyskusja. Pani Boone i pani Whipple, obie zapracowane prawniczki, prędko zmęczyły się rozmową o koszykówce i zaczęły gawędzić o pomyśle odnowienia głównej sali rozpraw w sądzie. Theo interesowały obie rozmowy i starał się za nimi nadążać. Chase grał w grę wideo na komórce. Gdzieś w odległym kącie zaczęło śpiewać kilku chłopców z uczelnianego bractwa. Tłum przy barze wiwatował, widząc w telewizji jakieś zagranie.

Wszyscy wyglądali na zadowolonych i ani trochę niezmartwionych April.

Theo chciał już iść do domu.

Rozdział 11

Nadszedł piątkowy ranek. Po niespokojnej nocy, pełnej snów, koszmarów, drzemek, bezsenności, głosów i wizji, Theo wreszcie się poddał i o szóstej trzydzieści wygramolił z łóżka. Kiedy usiadł na jego krawędzi i zastanawiał się, jakie to straszne wieści przyniesie nowy dzień, poczuł charakterystyczny zapach kiełbasek unoszący się z kuchni. Mama przygotowywała kiełbaski i naleśniki tylko przy tych rzadkich okazjach, kiedy uznawała, że synowi, a czasem też mężowi, potrzeba od rana jakiegoś solidnego zastrzyku energii. Ale Theo nie czuł głodu. Nie miał apetytu, wątpił, żeby w ogóle zachciało mu się jeść. Sędzia, śpiący pod łóżkiem, wystawił głowę i spojrzał na Theo. Obaj wyglądali na zmęczonych i niewyspanych.

– Przepraszam, jeśli przeze mnie nie spałeś – powiedział Theo.

Sędzia przyjął przeprosiny.

– A teraz przez resztę dnia masz nie robić nic innego, tylko spać.

Sędzia chyba się z nim zgodził.

Theo kusiło, żeby włączyć laptop i sprawdzić wiadomości, ale tak naprawdę tego nie chciał. Potem pomyślał jeszcze, czy nie wziąć pilota i nie włączyć telewizora. Ale zamiast tego wziął długi prysznic. Ubrał się, spakował plecak i miał już iść na dół, kiedy rozdzwoniła mu się komórka. Dzwonił stryj Ike.

– Cześć – powiedział Theo, trochę zaskoczony, że Ike nie śpi o tak wczesnej porze. Raczej nie słynął z porannego wstawania.

– Theo, tu Ike. Dzień dobry.

– Dzień dobry, Ike. – Chociaż Ike'owi niedawno stuknęła sześćdziesiątka, upierał się, żeby Theo mówił mu po prostu „Ike". Żadnych wujków czy stryjków. Ike był dosyć skomplikowanym człowiekiem.

– O której idziesz do szkoły?

– Tak za pół godziny.

– Masz czas, żeby do mnie wpaść i pogadać? Znam kilka bardzo ciekawych plotek, o których nikt inny nie wie.

Rodzinny rytuał nakazywał Theo zaglądać do biura Ike'a każdego poniedziałkowego popołudnia.

Wizyty trwały zwykle około trzydziestu minut i nie zawsze były przyjemne. Ike lubił wypytywać Theo o stopnie, odrobione lekcje i tak dalej – dość wkurzające. Jeśli chodziło o krytykę, Ike nie miał oporów. Jego własne dzieci już dorosły, wyprowadziły się gdzieś daleko, a Theo był jedynym bratankiem. Theo nie miał pojęcia, dlaczego Ike chce się z nim zobaczyć właśnie teraz, tak wcześnie, w piątkowy ranek.

– Jasne – powiedział.

– Pospiesz się i nikomu nie mów.

– W porządku, Ike. – Theo rozłączył się i chwilę pomyślał. Dziwne. Ale nie miał czasu się nad tym wszystkim zastanawiać. I tak już miał przeciążony mózg. Sędzia drapał o drzwi, niewątpliwie chodziło o kiełbaski.

Woods Boone pięć dni w tygodniu jadł śniadanie przy tym samym stoliku w tej samej restauracji w centrum, z tymi samymi przyjaciółmi i o tej samej porze – o siódmej rano. Dlatego Theo rzadko widywał ojca rano. Dostał całusa w policzek od matki, ubranej jeszcze w szlafrok, wszyscy powiedzieli sobie „dzień dobry" i porównali, jak im się spało. Marcelle, kiedy nie musiała iść do sądu, początek każdego piątku spędzała na zajmowaniu się sobą. Włosy, manikiur, pedikiur. Jako profesjonalistka przykładała dużą wagę do swojego wyglądu. Jej mąż aż tak bardzo się swoim nie przejmował.

– Żadnych wiadomości o April – oznajmiła pani Boone. Mały telewizor obok mikrofalówki był wyłączony.

– Co to znaczy? – zapytał Theo, kiedy usiadł.

Sędzia stał przy kuchence, tak blisko kiełbasek, jak tylko się dało.

– Jak na razie to nic nie znaczy – stwierdziła pani Boone, stawiając talerz przed Theo. Stos trzech małych naleśników i trzy pęta kiełbasek. Nalała mu szklankę mleka.

– Dziękuję mamo. Pycha. A Sędzia?

– No jasne – powiedziała, kładąc mały talerz przed psem. Też naleśniki i kiełbaski. – Wcinaj. – Usiadła i spojrzała na duże śniadanie stojące przed synem. Napiła się kawy. Theo nie miał innego wyboru, jak jeść tak, jakby umierał z głodu. Po kilku kęsach oznajmił:

– Świetnie, mamo.

– Pomyślałam, że dzisiaj rano będziesz potrzebował czegoś ekstra.

– Dzięki.

Po chwili, w trakcie której uważnie mu się przyglądała, spytała:

– Theo, wszystko w porządku? To znaczy, wiem, że jest po prostu strasznie, ale jak sobie radzisz?

Łatwiej było przeżuwać, niż mówić. Theo nie wiedział, co ma odpowiedzieć. Jak opisać swoje emocje, teraz gdy porwano jego bliską przyjaciółkę i przypuszczalnie wrzucono do rzeki? Jak wyrazić swój smutek, skoro ta przyjaciółka była zaniedbywanym dzieckiem z dziwacznej rodziny, które miało pomylonych rodziców i niewiele szans?

Przeżuwał dalej. Kiedy musiał w końcu coś powiedzieć, wymamrotał:

– Mamo, nic mi nie jest. – To nie była prawda, ale akurat teraz potrafił się zdobyć tylko na tyle.

– Chcesz o tym porozmawiać?

Ach, doskonałe pytanie. Theo pokręcił głową.

– Nie, nie chcę. Wtedy jest jeszcze gorzej.

Uśmiechnęła się i powiedziała:

– W porządku, rozumiem.

Piętnaście minut później Theo wskoczył na rower, pogłaskał Sędziego po głowie, powiedział mu do widzenia i pomknął podjazdem domu Boone'ów, a potem na Mallard Lane.

Na długo przed tym, jak Theo się urodził, Ike Boone był prawnikiem. Razem z rodzicami Theo założył kancelarię. Trójce prawników dobrze się współpracowało, interes kwitł, aż Ike zrobił coś nie tak. Zrobił coś złego. Cokolwiek to było, nie rozmawiano o tym przy Theo. Theo, od urodzenia ciekawy i wychowywany przez parę prawników, już od kilku lat usiłował rozgryźć zagadkę tajemniczego upadku

Ike'a, ale niewiele się dowiedział. Każde jego wścibstwo ojciec kwitował słowami: „Porozmawiamy, jak dorośniesz". Matka zwykle mówiła coś w stylu: „Kiedyś ojciec ci to wyjaśni".

Theo wiedział tylko o podstawowych sprawach: (1) Ike był kiedyś błyskotliwym i wziętym prawnikiem od spraw podatkowych; (2) potem na kilka lat trafił do więzienia; (3) został usunięty z palestry i nigdy więcej nie pracował jako prawnik; (4) kiedy siedział w więzieniu, żona się z nim rozwiodła i wyjechała ze Strattenburga razem z dziećmi; (5) te dzieci, stryjeczne rodzeństwo Theo, były od niego o wiele starsze i nigdy ich nie poznał; (6) stosunki między Ikiem a rodzicami Theo nie układały się dobrze.

Ike wiązał koniec z końcem jako księgowy małych firm, miał też jeszcze kilku innych klientów. Żył samotnie, w maleńkim mieszkanku. Lubił myśleć o sobie jako o wyrzutku, wręcz buntowniku walczącym z systemem. Nosił dziwne ubrania, długie siwe włosy zbierał w kucyk, wkładał sandały (nawet jak było chłodno), a w biurze w tanim stereo zwykle miał płytę Grateful Dead albo Boba Dylana. Pracował nad greckimi delikatesami, w cudownie zagraconym starym pokoju z półkami pełnymi nietkniętych książek.

Theo wbiegł po schodach, zapukał w drzwi, otworzył je i wszedł do gabinetu Ike'a jak do siebie. Ike siedział za biurkiem, jeszcze bardziej zagraconym niż biurko jego brata Woodsa. Pił kawę z papierowego kubka.

– Dobry, Theo – mruknął jak prawdziwy zrzęda.

– Cześć, Ike. – Theo opadł na rozklekotane drewniane krzesło przy burku. – I jak tam?

Ike oparł się na łokciach. Oczy miał zaczerwienione i podpuchnięte. Przez lata Theo słyszał urywki różnych plotek o tym, że Ike sobie popija. Uznał, że pewnie dlatego stryj zawsze wstaje tak późno.

– Jak się domyślam, martwisz się o swoją przyjaciółkę, tę dziewczynę Finnemore'ów – zauważył Ike.

Theo kiwnął głową.

– To się przestań martwić. To nie ona. Wydaje się, że ciało, które wyciągnęli z rzeki, to ciało jakiegoś mężczyzny, nie dziewczyny. Nie są jeszcze pewni, testy DNA potwierdzą to w ciągu dnia albo dwóch, ale ten ktoś ma, a raczej miał, metr siedemdziesiąt wzrostu. Ta twoja przyjaciółka miała pewnie jakieś metr pięćdziesiąt pięć, zgadza się?

– Tak myślę.

– Ciało jest bardzo rozłożone, co wskazuje na to, że spędziło w wodzie więcej niż kilka dni. Twoją przyjaciółkę porwano późną nocą we wtorek albo wcześnie rano w środę. Gdyby porywacz zaraz potem wrzucił ją do wody, ciało by się aż tak nie rozłożyło. Jest w kiepskim stanie, wielu części brakuje. Pewnie z tydzień leżało w wodzie.

Theo przyjął to do wiadomości. Był oszołomiony, ogarnęła go ulga i nie potrafił powstrzymać się od szerokiego uśmiechu. Ike mówił dalej, a Theo czuł, jak z piersi i żołądka znika mu straszny ciężar.

– Policja zamierza wydać oświadczenie, dzisiaj o dziewiątej rano. Pomyślałem, że mógłbyś chcieć wiedzieć trochę wcześniej.

– Dzięki, Ike.

– Ale oni nie przyznają się do najbardziej oczywistego, czyli tego, że zmarnowali ostatnie dwa dni na badanie teorii, że Jack Leeper porwał dziewczynę, zabił ją i wrzucił do rzeki. Leeper jest tylko kłamliwym bandziorem, a gliniarze pozwolili sobie ścigać nie tego, kogo trzeba. O tym policja już słowem nie wspomni.

– Kto ci o tym wszystkim powiedział? – zapytał Theo i od razu zrozumiał, że to złe pytanie, bo nie dostanie odpowiedzi.

Ike się uśmiechnął, potarł zaczerwienione oczy, wypił łyk kawy i oznajmił:

– Theo, mam swoich przyjaciół i to nie są ci sami przyjaciele, których miałem lata temu. Moi przyjaciele pochodzą teraz z innej części miasta. Nie mieszkają w wielkich budynkach i pięknych domach. Są bliżej ulicy.

Theo wiedział, że Ike dużo gra w pokera, a wśród karcianych partnerów ma kilku emerytowanych prawników i policjantów. Stryj lubił też robić wrażenie kogoś, kto ma tajemniczych przyjaciół, którzy przyglądają się wszystkiemu z ukrycia i wiedzą, co się mówi na ulicy. Było w tym trochę prawdy. W zeszłym roku jeden z jego klientów został skazany za rozprowadzanie niewielkich ilości narkotyków. O Ike'u pisano w gazetach, gdy został wezwany, żeby składać zeznania jako księgowy tego kogoś.

– Theo, ja słyszę o wielu sprawach – dodał.

– No to kim jest ten facet, którego wyciągnęli z rzeki?

Kolejny łyk kawy.

– Tego się pewnie nigdy nie dowiemy. Przeczesali ze trzysta kilometrów w górę rzeki i nie znaleźli żadnej informacji o kimś, kto by zaginął w ostatnim miesiącu. Słyszałeś kiedyś o sprawie Batesa?

– Nie.

– Tak ze czterdzieści lat temu.

– Ike, ja mam trzynaście lat.

– Racja. W każdym razie to się zdarzyło w Rooseburgu. Oszust o nazwisku Bates upozorował kiedyś własną śmierć. Porwał jakiegoś nieznanego faceta, ogłuszył, wsadził go do swojego samochodu, takiego ładnego cadillaca, a potem wjechał do rowu i podpalił wóz. Przyjeżdża policja, strażacy, ale samochód cały już stoi w płomieniach. Znajdują kupkę popiołów i uznają, że to pan Bates. Urządzają

mu pogrzeb, wszystko jak należy. Pani Bates od-
biera pieniądze z ubezpieczenia. O panu Batesie
zapomina się na następne trzy lata, dopóki nie zostaje aresztowany pod jakimś barem w Montanie.
Zgarniają go i dają mu niezły wycisk. Przyznaje się
do winy. Pozostaje pytanie – kim był ten facet, którego usmażył w samochodzie? Pan Bates mówi, że
nie wie, nigdy się nie dowiedział, jak chłopak miał
na imię, po prostu pewnego wieczoru zabrał go na
stopa. Trzy godziny później z chłopaka był już tylko
popiół. Wsiadł nie do tego wozu, co trzeba. Bates dostał dożywcie.

– Ike, a jaki z tego wniosek?

– Wniosek jest taki, mój drogi bratanku, że
możemy się nigdy nie dowiedzieć, kogo gliniarze
wyciągnęli z rzeki. Theo, są tacy ludzie: żebracy,
włóczędzy, robotnicy sezonowi, bezdomni, którzy
żyją na marginesie. Nie mają imion, twarzy: wędru-
ją z miasta do miasta, wskakują do pociągów, łapią
stopa, mieszkają w lasach i pod mostami. Wypadli ze
społeczeństwa i czasem przytrafiają im się złe rzeczy. Żyją w brutalnym i okrutnym świecie, a my ich
rzadko widujemy, bo nie chcą być widziani. Myślę,
że ten trup, którego badają gliniarze, nigdy nie zostanie zidentyfikowany. Ale tak naprawdę to nie jest
ważne. Dobra wiadomość jest taka, że to nie ta twoja przyjaciółka.

– Dzięki, Ike. Nie wiem, co jeszcze mogę powiedzieć.

– Sądziłem, że mogą ci się przydać jakieś dobre wiadomości.

– To bardzo dobre wiadomości. Strasznie się martwiłem.

– To twoja dziewczyna?

– Nie, tylko dobra przyjaciółka. Ma bardzo dziwną rodzinę i chyba jestem jednym z niewielu dzieciaków, którym ufa.

– Ma szczęście, że ma takiego przyjaciela jak ty, Theo.

– Chyba tak, dzięki.

Ike rozluźnił się i oparł stopy o biurko. Znowu sandały. Do tego jaskrawoczerwone skarpety.

– Co wiesz o jej ojcu?

Ike powiercił się i nie wiedział, co ma powiedzieć.

– Spotkałem go raz, u nich w domu. Kilka lat temu, matka urządziła April urodziny. To była katastrofa, bo większość dzieciaków nie przyszła. Innym rodzicom nie podobało się, żeby chodziły do Finnemore'ów. Ale ja byłem i jeszcze troje innych, a jej tata kręcił się w pobliżu. Miał długie włosy i brodę, wydawało się, że czuje się nieswojo z nami, dziećmi. April przez te lata mnóstwo mi opowiedziała. Ojciec przychodzi i odchodzi, a ona jest szczęśliwsza, kiedy go nie ma. Gra na gitarze i pisze piosenki, April mówi, że marne, i ciągle marzy o karierze muzyka.

– Wiem, co to za facet – oznajmił Ike zadowolony z siebie. – A raczej powinienem powiedzieć, że coś o nim wiem.

– Jak to? – zapytał Theo, już się wcale nie dziwiąc, że Ike znowu zna kogoś niezwykłego.

– Mam przyjaciela, który gra z nim od czasu do czasu. Mówi, że to leser. Mnóstwo czasu spędza z taką kiepską kapelą nieudaczników w średnim wieku. Jeżdżą w krótkie trasy, grają po barach i akademikach. Chyba w grę wchodzą i prochy.

– To by się zgadzało. April mi mówiła, że kiedyś zniknął na cały miesiąc. Zdaje się, że on i pani Finnemore sporo się kłócą. To bardzo nieszczęśliwa rodzina.

Ike wstał powoli. Podszedł do stereo, które stało na półce na książki. Wcisnął guzik i w tle zaczął grać cicho jakiś folk. Mówił i nastawiał głośność.

– Słuchaj, jeśli ktoś by mnie pytał, policja powinna sprawdzić ojca. Pewnie zabrał dziewczynę i gdzieś wywiózł.

– Nie wiem, czy April by z nim wyjechała. Nie lubiła go i mu nie ufała.

– Dlaczego nie próbowała się z tobą skontaktować? Nie ma jakiejś komórki, laptopa? Przecież wy, dzieciaki, chyba ciągle siedzicie w sieci na czatach?

– Policja znalazła laptop w jej pokoju, a rodzice nie pozwalają jej mieć komórki. Kiedyś mi powiedziała, że jej ojciec nie cierpi komórek i ich nie używa. Kiedy jest w trasie, to nie chce, żeby ktoś go znalazł. Gdyby tylko mogła, na pewno spróbowałaby się ze mną skontaktować. Może ten, kto ją porwał, nie pozwala jej zatelefonować.

Ike znowu usiadł i spojrzał na notepad na swoim biurku. Theo musiał już jechać do szkoły, a droga zabrałaby mu dziesięć minut rowerem, pod warunkiem że skorzysta ze wszystkich skrótów.

– Zobaczę, czego zdołam się dowiedzieć o tym ojcu – powiedział Ike. – Zadzwoń do mnie po szkole.

– Dzięki, Ike. I pewnie te wszystkie wspaniałe wiadomości o April są raczej ściśle tajne?

– A dlaczego miałyby być tajne? Za jakąś godzinę policja wygłosi oświadczenie. Jeśli chcesz znać moje zdanie, to powinni poinformować opinię publiczną już wczoraj wieczorem. Ale nie, bo przecież policja lubi urządzać sobie konferencje, robić wszystko tak dramatycznie, jak tylko się da. Nie obchodzi mnie, komu powiesz. Ludzie mają prawo wiedzieć.

– Super. Po drodze do szkoły zadzwonię do mamy.

ROZDZIAŁ 12

Piętnaście minut później pan Mount uspokoił swoją klasę, co okazało się łatwiejsze niż zazwyczaj. Chłopcy znowu byli przygaszeni. Krążyło mnóstwo plotek, ale większość powtarzanych szeptem. Pan Mount spojrzał na nich, potem oznajmił poważnym tonem:

– Panowie, Theo ma nowe wiadomości o zaginięciu April.

Theo wstał powoli i wyszedł przed klasę. Jednym z jego ulubionych prawników w mieście był Jesse Meelbank. Kiedy Meelbank uczestniczył w jakimś procesie, Theo starał się mu przyglądać, gdy tylko się dało. Zeszłego lata toczył się długi proces, w trakcie którego pan Meelbank oskarżał kompanię kolejową o tragiczną śmierć pewnej młodej kobiety.

Theo oglądał wszystko bez przerwy, przez dziewięć dni. To było niesamowite. U Meelbanka najbardziej podobało mu się to, jak zachowuje się w sali sądowej. Poruszał się z gracją, ale zdecydowanie. Nigdy się nie spieszył, ale też nigdy nie marnował czasu. Kiedy był już gotowy, żeby mówić, patrzył na świadków, na sędziego albo ławę przysięgłych i zanim wypowiedział pierwsze słowo, robił dramatyczną pauzę. Kiedy już się odezwał, jego ton był przyjazny jak podczas pogawędki, wydawało się, że mówi swobodnie, ale nie wypowiadał żadnego zbędnego słowa, zdania czy sylaby. Jesse'ego Meelbanka wszyscy słuchali, a on rzadko przegrywał. Często, kiedy Theo był sam w swojej sypialni albo biurze (i miał zamknięte drzwi), lubił zwracać się do ławy przysięgłych w jakichś dramatycznych udawanych sprawach i wtedy zawsze naśladował pana Meelbanka.

Stanął przed klasą, zamilkł na chwilę i kiedy skupił już uwagę wszystkich, oznajmił:

– Jak wszyscy wiemy, wczoraj policja znalazła w rzece zwłoki. O wszystkim było w wiadomościach i treść raportów sugerowała, że chodzi o April Finnemore (tu nastąpiła dramatyczna przerwa, kiedy Theo poszukał wzrokiem zmartwionych spojrzeń). – Posiadam jednak informacje pochodzące z wiarygodnego źródła, że zwłoki nie należą do April. Ciało należy do mężczyzny metr siedemdziesiąt wzrostu. Biedak przez długi czas leżał w wodzie. Jego zwłoki uległy daleko idącemu rozkładowi.

Theo znał każdego prawnika, sędziego, urzędnika sądowego i prawie każdego policjanta w mieście, dlatego jego słowa miały dla kolegów wielką wagę, przynajmniej w takich sprawach. Bo jeśli chodziło o chemię, muzykę, filmy albo wojnę secesyjną, to już nie był takim ekspertem i wcale się nie starał. Ale w kwestii prawa, sądów i wymiaru sprawiedliwości Theo był prawdziwy gościu.

Theo mówił dalej:

– Dzisiaj rano, o dziewiątej, policja wyda oświadczenie dla prasy właśnie na ten temat. To na pewno dobra wiadomość, ale prawda pozostaje taka, że April w dalszym ciągu jest zaginiona, a policja nie ma zbyt wielu tropów.

– A co z Jackiem Leeperem? – zapytał Aaron.

– Nadal jest podejrzany, ale nie współpracuje.

Chłopcy nagle się rozgadali. Zadawali Theo mnóstwo pytań, z których na żadne nie mógł odpowiedzieć, i rozmawiali między sobą. Kiedy już zabrzmiał dzwonek, pobiegli na pierwszą lekcję, a pan Mount rzucił się do gabinetu dyrektora, żeby przekazać dobre wieści. Jak burza rozeszły się po gabinetach i pokoju nauczycielskim, a później po klasach i korytarzach, nawet toaletach i stołówce.

Kilka minut przed dziewiątą rano pani Gladwell, dyrektorka, przerwała lekcje, przemawiając przez głośniki w klasach. Wszyscy ósmoklasiści mieli natychmiast stawić się w auli na kolejny niezapowiedziany apel. Tak samo robili już wczoraj, kiedy pani Gladwell starała się ich uspokoić.

Kiedy zapełnili aulę, dwóch woźnych wtoczyło duży telewizor. Pani Gladwell szybko kazała wszystkim siadać, a kiedy już usiedli, ogłosiła:

– Proszę o uwagę!

Miała taki irytujący sposób przeciągania słowa „proszę", więc brzmiało raczej jak „pszeeeee". Na przerwie obiadowej albo boisku często ją przedrzeźniano, a najlepsi w tym byli chłopcy. Za plecami dyrektorki ożył ekran telewizora, na którym pojawił się poranny program – bez dźwięku. Pani Gladwell mówiła dalej:

– O dziewiątej rano policja zamierza wygłosić ważne oświadczenie w sprawie April Finnemore i uznałam, że byłoby wspaniale, gdybyśmy mogli obejrzeć je na żywo i wspólnie cieszyć się tą chwilą. Pszeeeee, żadnych pytań.

Zerknęła na zegarek, potem na telewizor.

– Proszę włączyć Kanał 28 – poleciła woźnym.

W Strattenburgu działały dwie zwykłe stacje telewizyjne i dwie kablówki. Kanał 28 zasadniczo był najbardziej wiarygodny, co oznaczało, że mają w nim mniej wpadek niż gdzie indziej. Theo oglądał kiedyś duży proces, kiedy Kanał 28 został oskarżony przez lekarza, który twierdził, że reporter stacji kłamał na jego temat. Sąd uwierzył lekarzowi, tak samo Theo, i przyznał mu kupę forsy.

W Kanale 28 pokazywano już następny program, który zaczął się o dziewiątej. Nie rozmawiano jednak o najnowszych wydarzeniach, tylko ostatnich niesamowitych szczegółach rozwodu jakiejś gwiazdy. Na szczęście wciąż nie było dźwięku. Ósmoklasiści patrzyli na telewizor cierpliwie i w ciszy.

Na ścianie wisiał zegar, a kiedy mała wskazówka zaczęła wskazywać pięć po dziewiątej, Theo zaczął się wiercić. Niektórzy już między sobą szeptali. Rozwód gwiazdy ustąpił miejsca przygotowaniom panny młodej do ślubu, podczas których przeciętną i pulchną dziewczyną zajmowało się na wszelkie sposoby grono ekscentrycznych fachowców. Trener, wrzeszcząc, starał się siłą doprowadzić dziewczynę do dobrej formy. Facet z pomalowanymi paznokciami układał jej włosy. Jakiś zupełny dziwoląg tynkował ją nowym makijażem. Wszystko trwało i trwało, tak naprawdę nie było widać żadnej poprawy. O dziewiątej piętnaście pannę młodą przygotowano do ślubu. Wyglądała jak ktoś zupełnie inny i stało się jasne, nawet bez fonii, że narzeczony woli jednak tę wersję, której się oświadczył.

Ale wtedy Theo za bardzo się już denerwował, żeby się tym przejmować. Pan Mount nachylił się do niego i wyszeptał:

– Theo, jesteś pewien, że policja wygłosi oświadczenie?

Theo pokiwał głową z przekonaniem.

– Tak, proszę pana.

Ale naprawdę całe jego przekonanie zniknęło. Theo klął siebie samego za to, że jest takim paplą i że się zachowywał, jakby pozjadał wszystkie rozumy. Klął też Ike'a. Kusiło go, żeby po cichu wyjąć z kieszeni komórkę, wysłać SMS-a do stryja i dowiedzieć się, o co chodzi. Co ta policja wyrabia? Jednak w szkole panowały ścisłe reguły dotyczące używania komórek. Mogli je przynosić tylko siódmo- i ósmoklasiści, a dzwonić i wysyłać SMS-y tylko podczas lunchu albo przerwy. Jeśli kiedy indziej przyłapano cię na telefonowaniu, traciłeś aparat. Komórki miała mniej więcej połowa ósmoklasistów. Wielu rodziców nadal na nie nie pozwalało.

– Hej, Theo, co się dzieje? – zapytał na całą salę Aaron Helleberg. Siedział trzy krzesła za Theo.

Theo uśmiechnął się, wzruszył ramionami i powiedział:

– Takie rzeczy zawsze się opóźniają.

Kiedy pulchna panna młoda już wyszła za mąż, nastała kolej porannych wiadomości. Powodzie w Indiach pochłonęły tysiące ofiar, a w Londynie rozszalała się gwałtowna śnieżyca. Po wiadomościach jeden z prowadzących rozpoczął ekskluzywny wywiad z supermodelką.

Theo czuł, że patrzy na niego każdy nauczyciel i każdy uczeń. Oddychał gwałtownie, był zdenerwowany, a przez głowę przelatywały mu jeszcze gorsze myśli. A co, jeśli Ike się pomylił? Jeśli Ike uwierzył jakimś fałszywym informacjom, a policja wcale nie jest taka pewna co do zwłok?

Czy Theo się wygłupił? Najwyraźniej, ale to nic przy tym, co by było, gdyby okazało się, że policja wyciągnęła z wody właśnie April.

Zerwał się na równe nogi i poszedł do pana Mounta, stojącego razem z dwoma innymi nauczycielami.

– Mam pomysł – oznajmił, cały czas usiłując wyglądać na pewnego siebie. – Może zadzwonimy na policję i spytamy, co się dzieje?

– Do kogo miałbym zadzwonić? – zapytał pan Mount.

– Podam panu numer – powiedział Theo.

Przyszła pani Gladwell, marszcząc brwi.

– Theo, a może ty zadzwonisz? – zaproponował pan Mount, mówiąc dokładnie to, co Theo chciał usłyszeć. Theo spojrzał na panią Gladwell i zapytał, bardzo, bardzo uprzejmie:

– Czy mogę wyjść na korytarz i zadzwonić na policję?

Pani Gladwell też już była nieźle podenerwowana całą sytuacją.

– Tak – powiedziała od razu. – I się pospiesz.

Theo wyszedł. Na korytarzu szybko wyciągnął komórkę i zadzwonił do Ike'a. Żadnej odpowiedzi. Zadzwonił na policję, ale linia okazała się zajęta, więc zadzwonił do Elsy, do kancelarii i zapytał, czy może ona coś słyszała. Nie słyszała. Jeszcze raz spróbował dodzwonić się do Ike'a, znowu bez żadnej odpowiedzi. W tej strasznej chwili zastanawiał się, do kogo jeszcze mógłby zatelefonować, i nikt nie przychodził mu do głowy. Sprawdził na aparacie, która godzina – dziewiąta dwadzieścia siedem.

Wpatrywał się w duże metalowe drzwi do auli, gdzie teraz ze sto siedemdziesiąt pięć dzieciaków i mniej więcej kilkunastu nauczycieli czekało na bardzo dobre wiadomości o April. Wiadomości, które Theo przyniósł dzisiaj do szkoły i przedstawił tak dramatycznie, jak tylko zdołał. Wiedział, że powinien otworzyć drzwi i wrócić na swoje miejsce. Pomyślał, czy może stąd w ogóle nie wyjść, tak po prostu pokręcić się gdzieś koło szkoły, schować się na godzinę. Powiedzieć, że ma kłopoty z żołądkiem czy atak astmy. Mógł się schować w bibliotece albo w sali gimnastycznej.

Klamka się poruszyła. Theo przycisnął telefon do ucha, jakby był pogrążony w rozmowie. Z auli wyszedł pan Mount i spojrzał na niego pytająco.

– Wszystko w porządku?

Theo uśmiechnął się, pokiwał głową, jakby właśnie rozmawiał z kimś z policji, a policja robiła dokładnie to, czego od niej chciał. Pan Mount wrócił do auli.

Theo mógł: (1) uciec i się schować; (2) zapobiec dalszym stratom, mówiąc jakieś kłamstewko, w rodzaju: „policja przesunęła oświadczenie na później"; albo (3) trzymać się pierwotnego planu i błagać o cud. Pomyślał, że ukamienuje Ike'a, a potem zgrzytnął zębami i otworzył drzwi. Kiedy wchodził do auli, wszyscy na niego spojrzeli. Pani Gladwell podeszła szybciutko.

– Theo, co się dzieje? – zapytała, marszcząc brwi, a oczami miotając pioruny.

– Powinno być lada chwila – powiedział.

– Kto ci o tym mówił? – zapytał pan Mount. To pytanie było już raczej konkretne.

– Mają jakieś problemy techniczne – odparł Theo, robiąc unik. – Jeszcze tylko kilka minut.

Pan Mount skrzywił się, jakby uznał, że ciężko mu uwierzyć. Theo szybko wrócił na miejsce i próbował stać się niewidzialny. Skupił się na telewizji, gdzie pokazywano psa, który łapał dwa pędzle w zęby i rozbryzgiwał farbę po białym płótnie. Gospodarz programu zanosił się śmiechem. No, dalej, powiedział Theo w duchu, niech mnie ktoś uratuje. Była dziewiąta trzydzieści pięć.

– Hej, Theo, może jeszcze jakiś przeciek? – zapytał Aaron na głos, a kilkoro dzieciaków się zaśmiało.

– Przynajmniej nie mamy lekcji – odparował Theo.

Minęło jeszcze dziesięć minut. Malujący pies ustąpił miejsca grubemu kucharzowi, który zbudował piramidę z pieczarek i prawie się rozpłakał, kiedy runęła. Pani Gladwell podeszła do telewizora, rzuciła Theo mordercze spojrzenie i oznajmiła:

– Musimy już wracać do klas.

I właśnie wtedy Kanał 28 przerwał nadawanie zwykłego programu i na ekranie pojawił się napis: „Wiadomość z ostatniej chwili". Woźny włączył fonię, a pani Gladwell szybko się odsunęła. Theo odetchnął i podziękował Bogu za cud.

Komendant policji stał na podium, a za nim rząd umundurowanych funkcjonariuszy. Na skraju, po prawej, był detektyw Slater, w garniturze i krawacie. Wszyscy wyglądali na zmordowanych. Komendant czytał z kartki, podawał tę samą wiadomość, którą Ike przekazał Theo jakieś dwie godziny temu. Czekano jeszcze na testy DNA, żeby wszystko ostatecznie potwierdzić, jednak istniała prawie całkowita pewność, że ciało wydobyte z rzeki nie należy do April Finnemore. Policjant przeszedł do opisu kilku szczegółów związanych z rozmiarami i stanem zwłok, nad których identyfikacją ciężko pracowano, i robił wrażenie, że jest postęp. Jeśli chodzi o April, szli wieloma tropami. Reporterzy zadali mnóstwo pytań, komendant mówił dużo, ale powiedział niewiele.

Kiedy konferencja się skończyła, ósmoklasiści poczuli ulgę, chociaż wciąż się martwili. Policja nie miała pojęcia, gdzie może przebywać April ani kto ją porwał. Głównym podejrzanym nadal pozostawał Jack Leeper. Przynajmniej dziewczynka żyła – a jeśli nie, to jeszcze o tym nie wiedzieli.

Kiedy już wyszli z auli i wrócili do klasy, Theo upomniał siebie, że na przyszłość ma być bardziej ostrożny. Właśnie o mały włos nie został pośmiewiskiem całej szkoły.

W trakcie przerwy na lunch Theo, Woody, Chase, Aaron i kilku innych chłopaków jedli kanapki, gadając o tym, żeby po lekcjach znowu zacząć poszukiwania. Zapowiadała się jednak marna pogoda, a na popołudnie prognozowano duże opady mające się przeciągnąć aż do nocy. W miarę jak wlókł się dzień, ubywało coraz więcej uczniów wierzących, że April jest jeszcze w Strattenburgu. Po co każdego popołudnia przeszukiwać ulice, skoro i tak się nie wierzy w jej odnalezienie?

Theo postanowił jednak szukać dalej, nieważne, czy będzie padać, czy nie.

Rozdział 13

W połowie chemii, kiedy deszcz i wiatr waliły w okna, a Theo próbował słuchać pana Tubchecka, zaskoczył go nagle głos wywołujący jego nazwisko. Znowu odezwała się pani Gladwell, teraz przez głośnik.

– Panie Tubchek, czy Theo Boone jest na lekcji? – zaskrzeczała, zaskakując uczniów i samego pana Tubcheka.

Serce Theo zamarło, gwałtownie wyprostował się na krześle. A teraz co jeszcze?

– Jest – odpowiedział pan Tubchek.

– Proszę go przysłać do mnie, do gabinetu.

Kiedy Theo powoli szedł korytarzem, rozpaczliwie starał się domyślić, do czego się może przydać w gabinecie dyrektorki. Było już piątkowe popołudnie, dochodziła druga. Tydzień prawie się kończył, w dodatku kiepski tydzień. Może pani Gladwell wciąż jeszcze miała pretensje o tę spóźnioną konferencję rano? Nie, chyba nie. Przecież wszystko się dobrze skończyło. W tym tygodniu nie zrobił niczego szczególnie złego, nie złamał żadnych przepisów, nikogo nie obraził, udało mu się odrobić większość lekcji i tak dalej. Dał więc za wygraną. Naprawdę nie miał się czym przejmować. Zresztą dwa lata temu, kiedy najstarsza córka pani Gladwell przechodziła nieprzyjemny rozwód, jej prawnikiem była Marcella Boone.

Panna Gloria, wścibska sekretarka, rozmawiała akurat przez telefon i machnięciem dłoni wskazała Theo drogę do gabinetu. Pani Gladwell spotkała Theo pod drzwiami i wprowadziła go do środka.

– Theo, to jest Anton – oznajmiła po zamknięciu drzwi.

Anton był chudym dzieciakiem o bardzo ciemnej skórze.

– Chodzi do szóstej klasy. Uczy go panna Spencer.

Theo uścisnął chłopcu dłoń.

– Miło mi cię poznać – powiedział.

Anton niczego nie powiedział. Uścisk dłoni miał raczej miękki. Theo od razu pomyślał, że dzieciak jest w wielkich tarapatach i musi być śmiertelnie przerażony.

– Usiądź sobie, Theo – powiedziała dyrektorka i Theo opadł na krzesło obok chłopca. – Anton pochodzi z Haiti i z kilkoma krewnymi mieszka na skraju miasta, na Barkley Street, niedaleko kamieniołomu.

Kiedy wypowiadała słowo „kamieniołom", jej oczy spotkały się z oczami Theo. Tamta część miasta nie była najlepsza. Szczerze mówiąc, zamieszkiwali ją biedniejsi imigranci, legalni albo i nie.

– Jego rodzice pracują poza miastem, Anton mieszka z dziadkami. Poznajesz to? – zapytała dyrektorka, wręczając Theo kartkę. Szybko ją przestudiował.

– O rany.

– Theo, masz jakieś doświadczenie z wydziałem do spraw zwierząt? – zapytała.

– Tak, byłem tam kilka razy. W wydziale do spraw zwierząt uratowałem swojego psa.

– Mógłbyś, proszę, wytłumaczyć Antonowi, o co tutaj chodzi?

– Jasne. To jest wezwanie z paragrafu trzeciego, wystosowane przez sędziego Yecka, z wydziału do spraw zwierząt. Powiadamia, że kontrola zwierząt zabrała wczoraj do aresztu jakiegoś Pete'a.

– Przyszli do domu i go zabrali – odezwał się Anton. – Powiedzieli, że jest aresztowany. Pete był bardzo zły.

Theo dalej przyglądał się wezwaniu.

– Piszą, że Pete to papuga afrykańska popielata, wiek nieznany.

– Ma pięćdziesiątkę i jest w mojej rodzinie od wielu lat.

Theo zerknął na Antona i zauważył, że chłopiec ma wilgotne oczy.

– Rozprawa odbędzie się dzisiaj, o czwartej po południu, w sądzie dla zwierząt. Sędzia Yeck wysłucha stron i postanowi, co z dalej z Pete'em. Czy wiesz, co złego zrobił Pete?

– Przestraszył parę osób – odparł Anton. – To wszystko, co wiem.

– Theo, możesz mu jakoś pomóc? – zapytała pani Gladwell.

– Jasne – odparł Theo, aczkolwiek z pewnym ociąganiem. Ale tak naprawdę uwielbiał wydział do spraw zwierząt, bo tam mógł w swojej sprawie występować każdy, łącznie z trzynastoletnim dzieciakiem z ósmej klasy. W wydziale nie potrzebowano prawników, a sędzia Yeck prowadził rozprawy na dużym luzie. Yeck był wyrzutkiem, którego wylano z kilku kancelarii, i nie potrafił utrzymać żadnej porządnej prawniczej posady. Niezbyt go cieszyło, że jest najmniej poważanym sędzią w mieście. Większość prawników unikała „kociego sądu", jak nazywano wydział do spraw zwierząt, bo uważała go za coś poniżej swojej godności.

– Dziękuję, Theo.

– Ale muszę wyjść już teraz – powiedział, myśląc szybko. – Potrzebuję trochę czasu, żeby się przygotować.

– Możesz iść – oznajmiła pani Gladwell.

O czwartej po południu Theo zszedł po schodach do sutereny sądu, potem ruszył korytarzem, mijając magazyny, aż wreszcie dotarł do drewnianych drzwi z napisem „Wydział do spraw zwierząt. Sędzia Sergio Yeck". Czarne litery wymalowano z szablonu, u góry wejścia. Theo się denerwował, ale był też bardzo podekscytowany. Bo gdzie indziej trzynastolatek mógł występować w sprawie sądowej, udając prawdziwego prawnika? Przyniósł sobie skórzaną teczkę, jedną ze starych teczek Ike'a. Otworzył drzwi.

Cokolwiek zrobił Pete, z pewnością nieźle mu to wyszło. Theo jeszcze nigdy nie widział w wydziale do spraw zwierząt aż tylu ludzi. Po lewej stronie niewielkiej sali rozpraw stała grupa kobiet, wszystkie w średnim wieku, wszystkie w obcisłych brązowych bryczesach i czarnych jeździeckich butach do kolan. Wydawały się bardzo niezadowolone. Po prawej Anton i jakaś starsza para siedzieli tak daleko od tych kobiet, jak tylko mogli. Cała trójka wyglądała na przerażoną. Theo podszedł do nich swobodnym krokiem i się przywitał. Anton przedstawił mu swoich dziadków, o nazwiskach obcych i niemożliwych do zrozumienia za pierwszym razem. Po angielsku mówili nieźle, chociaż z wyraźnym akcentem. Anton powiedział coś swojej babci. Spojrzała na Theo i zapytała:

– Ty nasz prawnik?

Theo nie przyszła do głowy żadna odpowiedź inna niż „tak".

Babcia się rozpłakała.

Otworzyły się drzwi i z tyłu sali pojawił się sędzia Yeck. Podszedł do długiego stołu i usiadł za nim. Jak zwykle miał na sobie dżinsy, kowbojskie buty, wytartą sportową kurtkę i nie włożył krawata. W kocim sądzie nie wymagano togi. Wyciągnął wokandę i rozejrzał się po sali. Niewiele spraw z listy go zainteresowało. W większości chodziło o ludzi, których psy i koty pozabierała kontrola zwierząt. Dlatego teraz, kiedy pojawiał się jakiś drobny spór, cieszył się chwilą.

Odchrząknął głośno i powiedział:

– Widzę, że mamy tutaj sprawę dotyczącą papugi Pete'a. Jego właściciele to pan i pani Regnier – spojrzał na Haitańczyków, szukając potwierdzenia.

– Wysoki sądzie – odezwał się Theo. – Reprezentuję, ee, właścicieli.

– No to cześć, Theo. Co tam u ciebie?

– Wszystko w porządku, panie sędzio, dziękuję.

– Nie widziałem cię chyba z miesiąc.

– Owszem, proszę pana. Byłem zajęty. Pan sam rozumie, lekcje i w ogóle.

– Jak tam twoi rodzice?

– Dobrze, wszystko dobrze.

Theo po raz pierwszy zjawił się w wydziale do spraw zwierząt dwa lata temu, kiedy w ostatniej chwili zwrócił się do sędziego, ratując życie niechcianego szczeniaka. Zabrał psa do domu i dał mu na imię Sędzia.

– Proszę podejść – powiedział sędzia Yeck, a Theo przeprowadził trójkę Regnierów przez niewielką bramkę, do stolika z prawej. Kiedy usiedli, sędzia oznajmił: – Skargę wniosły Kate Sprangler oraz Judy Cross, właścicielki stajni S.C.

Nagle objawił się jakiś dobrze ubrany młody człowiek.

– Tak jest, Wysoki Sądzie – powiedział. – Reprezentuję pannę Spangler i pannę Cross.

– A pan kim jest?

– Nazywam się Kevin Blaze, Wysoki Sądzie, z kancelarii Macklin.

Blaze dumnie podszedł do stołu, z lśniącą nową teczką w ręku i położył przed sędzią prawniczą wizytówkę. Kancelaria Macklin zrzeszała około dwudziestu prawników i działała od wielu lat. Theo nigdy nie słyszał o panu Blaze. Najwyraźniej sędzia

Yeck też. Było widać, przynajmniej zdaniem Theo, że zamożność i pewność siebie Blaze'a raczej nie są tutaj w cenie.

Nagle żołądek Theo przeszył ostry ból. Przecież jego przeciwnik to prawdziwy prawnik!

Blaze zaprowadził swoje klientki do miejsc za stołem z lewej strony. Gdy wszyscy znaleźli się już tam, gdzie się mieli znaleźć, sędzia Yeck zapytał z zaciekawieniem:

– Słuchaj, Theo, czy ty przypadkiem w jakiejś części nie jesteś właścicielem tej papugi?

– Nie, Wysoki Sądzie.

Theo nie wstawał z krzesła. W wydziale do spraw zwierząt nie zawracano sobie głowy formalnościami. Prawnicy pozostawali na siedzeniach. Nie było wyznaczonego miejsca dla świadka, nie przysięgano mówić prawdy, nie obowiązywały żadne przepisy związane z dowodami – i na pewno nie było ławy przysięgłych. Sędzia Yeck przeprowadzał szybkie rozprawy, od razu wydawał wyrok, a chociaż zajmował niskie stanowisko, cieszył się opinią sprawiedliwego.

– No to... – Theo zaczął źle. – Jak pan sam widzi, Wysoki Sądzie, Anton uczęszcza do mojej szkoły, a jego rodzina pochodzi z Haiti i nie rozumie naszego systemu prawnego.

– A kto rozumie? – mruknął Yeck.

– A ja zjawiłem się tutaj, żeby wyświadczyć przysługę koledze.

– Kapuję. Theo, ale właściciel zwierzęcia zwykle wypowiada się w swojej sprawie sam albo wynajmuje prawnika. Ty nie jesteś ani właścicielem, ani jeszcze nie jesteś prawnikiem.

– Owszem, proszę pana.

Kevin Blaze zerwał się na równe nogi i powiedział ostro:

– Wysoki sądzie, sprzeciwiam się jego obecności.

Sędzia Yeck powoli oderwał uwagę od Theo i skupił ją z całą mocą na zapalczywej twarzy młodego Kevina Blaze'a. Nastała długa chwila ciszy; pełen napięcia zastój w rozprawie. Nikt się nie odzywał i wydawało się, że nikt nie oddycha. Wreszcie sędzia Yeck oznajmił:

– Proszę usiąść.

Kiedy Blaze znowu usiadł, Yeck mówił dalej:

– I proszę już pozostać na miejscu. Proszę nie wstawać, dopóki pana o to nie poproszę. A teraz, panie Blaze, czy pan nie widzi, że ja właśnie rozważam kwestię obecności Theodore'a Boone'a? Czy to nie jest dla pana oczywiste? Nie potrzebuję pańskich rad. Pana sprzeciw jest pozbawiony sensu. Nie zostaje ani odrzucony, ani podtrzymany. Po prostu zostaje zignorowany.

Kolejna długa przerwa, podczas której sędzia Yeck przypatrywał się grupie kobiet siedzących przy stole z lewej.

Wskazał na nie i zapytał:

– Kim są ci ludzie?

Blaze, mocno ściskając poręcz krzesła, odparł:

– Wysoki sądzie, to świadkowie.

Sędziego Yecka najwyraźniej taka odpowiedź nie zadowoliła.

– Dobrze, a teraz, panie Blaze, powiem, jak tutaj działam. Wolę krótkie rozprawy. Takie, gdzie jest tylko kilku świadków. I naprawdę nie mam cierpliwości do świadków, którzy powiedzą to samo, co powiedzieli już inni świadkowie. Czy pan mnie zrozumiał, panie Blaze?

– Tak, proszę pana.

Sędzia popatrzył na Theo.

– Panie Boone, dziękuję, że zainteresował się pan tą sprawą.

– Dziękuję, panie sędzio.

Wysoki sąd zerknął na wokandę.

– Dobrze – powiedział. – Teraz, jak sądzę, powinniśmy zobaczyć Pete'a. – Skinął na sędziwego sekretarza, który wyszedł na chwilę i wrócił z umundurowanym strażnikiem niosącym tanią drucianą klatkę. Postawił ją na rogu stołu sędziego Yecka. W klatce siedział Pete, afrykańska papuga popielata, mierząca ponad trzydzieści pięć centymetrów od dzioba do ogona. Pete rozejrzał się po tym dziwnym pokoju, poruszając tylko głową.

– Jak sądzę, ty jesteś Pete – powiedział sędzia Yeck.

– Jestem Pete – oznajmił Pete czystym, wysokim głosem.

– Miło mi cię poznać. Jestem sędzia Yeck.

– Yeck, Yeck, Yeck – zaskrzeczał Pete i prawie wszyscy się roześmiali. Poza paniami w czarnych butach. Skrzywiły się teraz jeszcze bardziej. Pete wcale ich nie rozbawił.

Sędzia Yeck odetchnął powoli, jakby widząc, że rozprawa może zabrać znacznie więcej czasu, niżby chciał.

– Proszę wezwać swojego pierwszego świadka – powiedział Kevinowi Blaze'owi.

– Tak, Wysoki Sądzie. Zacznę od Kate Spangler. – Blaze poprawił się na krześle i odwrócił lekko, żeby spojrzeć na klientkę. Było widać, że chce wstać, chodzić po sali sądowej i czuje się ograniczony. Podniósł prawniczy bloczek z notatkami. – Jest pani współwłaścicielką stajni SC, nieprawdaż? – zaczął.

– Tak. – Panna Spangler była niewysoką, szczupłą kobietą w połowie czterdziestki.

– Od jak dawna jest pani właścicielką stajni SC?

– A jakie to ma znaczenie? – szybko wtrącił się sędzia Yeck. – Proszę mi powiedzieć, w jaki sposób to może być istotne dla sprawy?

Blaze starał się wyjaśnić.

– Wysoki sądzie, musimy udowodnić, że...

– Panie Blaze, pokażę, jak załatwiamy sprawy tutaj, w wydziale do spraw zwierząt. Panno Spangler, proszę mi powiedzieć, co się stało. Po prostu proszę zapomnieć o tym wszystkim, co naopowiadał pani pani prawnik, i niech mi pani powie, co takiego zrobił Pete, że aż tak panią rozzłościł.

– Jestem Pete – powiedział Pete.

– Tak, wiemy.

– Yeck, Yeck, Yeck.

– Dziękuję, Pete. – Nastąpiła długa chwila przerwy, żeby się upewnić, że Pete już skończył. Potem sędzia machnął na pannę Spangler.

– Dobrze, więc w zeszły wtorek byliśmy w samym środku zajęć. Byłam na padoku, stałam, byłam z czwórką moich kursantów, oni byli konno. Nagle, znikąd, pojawił się ten ptak, skrzeczał i hałasował w najróżniejszy sposób. Konie się spłoszyły, pobiegły do stajni. Mało mnie nie stratowały. Betty Slocum spadła i złamała sobie rękę.

Betty Slocum szybko wstała, żeby każdy mógł zobaczyć duży biały gips na lewej ręce.

– Potem znowu sfrunął, jak jakiś zwariowany kamikadze, i poleciał prosto na konie, kiedy one...

– Kamikadze, kamikadze, kamikadze! – wrzasnął Pete.

– Zamknij się wreszcie! – krzyknęła panna Spangler do Pete'a.

– Proszę, to tylko ptak – zwrócił uwagę sędzia Yeck.

Pete zaczął mówić coś, czego nie dało się już zrozumieć. Anton pochylił się do Theo.

– Mówi po kreolsku – wyszeptał.

– O co chodzi? – zapytał sędzia Yeck.

– Wysoki sądzie, Pete mówi w kreolskiej odmianie francuskiego – wyjaśnił Theo. – To jego ojczysty język.

– A co mówi?

Theo szepnął do Antona, a Anton od razu odszepnął.

– Wysoki Sądzie, nie chciałby pan tego wiedzieć – odparł Theo.

Pete zamilkł, wszyscy czekali, co teraz będzie. Sędzia Yeck spojrzał na Antona i zapytał łagodnie:

– Czy przestanie mówić, jeśli go się o to poprosi?

Anton pokręcił głową.

– Nie, proszę pana.

Kolejna przerwa.

– Proszę kontynuować – oznajmił sędzia Yeck.

Głos zabrała Judy Cross.

– Następnego dnia, mniej więcej o tej samej porze, z kolei ja udzielałam lekcji. Miałam pięć osób na koniach. Na każdych zajęciach wykrzykuję uczniom polecenia, takie jak „naprzód", i „stój" i „galop". Nie miałam pojęcia, że on się nam przygląda, ale się przyglądał. Schował się na dębie obok padoku i zaczął wrzeszczeć: „Stój! Stój!"

Pete, jak na zawołanie, wrzasnął:

– Stój! Stój! Stój!

– Sam pan widzi, o co mi chodzi. Konie od razu się zatrzymały. Próbowałam go zignorować. Powiedziałam uczniom, żeby zachowali spokój i po prostu nie zwracali na niego uwagi. Powiedziałam, „Naprzód", a konie ruszyły. Wtedy on zaczął krzyczeć: „Stój! Stój!"

Sędzia Yeck uniósł ręce w górę, prosząc o ciszę. Minęły sekundy.

– Proszę kontynuować.

– Przez kilka minut był cicho – opowiadała Judy Cross. – Nie zwracaliśmy na niego uwagi. Uczniowie byli skupieni, konie spokojne. Potem ruszyły wolnym tempem, a on nagle zaczął wrzeszczeć: „Galop! Galop!" Konie znowu popędziły i zaczęły skakać po całym padoku. To był chaos. Ledwie uskoczyłam, bo inaczej by mnie stratowały.

Pete zaskrzeczał:

– Galop! Galop!

– Proszę zobaczyć, o to właśnie mi chodzi – wybuchnęła Judy Cross. – Dręczył nas tak przez tydzień. Kiedyś spadł z nieba jak bombowiec nurkujący i wystraszył konie. Następnego dnia zakradł się, schował na drzewie, poczekał, aż się zrobi się cicho, i dopiero wtedy zaczął wykrzykiwać polecenia. To wcielone zło. Nasze konie boją się wychodzić ze stajni. Uczniowie żądają zwrotu pieniędzy. On nam rujnuje interes.

Pete, z doskonałym wyczuciem chwili, oznajmił:

– Jesteś gruba.

Odczekał pięć sekund i zrobił to jeszcze raz:

– Jesteś gruba.

Jego słowa odbiły się echem po pokoju. Oszołomił wszystkich. Większość obecnych utkwiła spojrzenie w butach, tych zwykłych i tych wysokich.

Judy Cross z trudem przełknęła ślinę, mocno zacisnęła powieki i pięści i skrzywiła się, jakby z wielkiego bólu. Była pokaźną kobietą o rozłożystej figurze, miała takie ciało, które zawsze dźwiga dodatkowy ciężar i z trudem to znosi. Jej reakcja jasno pokazywała, że nadwaga przez lata przysparzała jej wielu złożonych problemów. Judy Cross walczyła z nią i sromotnie przegrała. Tusza stanowiła szczególnie drażliwą sprawę, z którą zmagała się każdego dnia.

– Jesteś gruba – przypomniał Pete po raz trzeci.

Sędzia Yeck, rozpaczliwie walcząc z naturalną chęcią, by wybuchnąć śmiechem, podskoczył i oznajmił:

– Dobrze. Czy spokojnie można założyć, że pańscy pozostali świadkowie też chcą zeznać mniej więcej to samo?

Kobiety przytaknęły.

Kilka jakby się skuliło, prawie schowało, wydawało się, że straciły nieco entuzjazmu. Trzeba było teraz niezwykłej odwagi, żeby powiedzieć coś złego o Pecie. Bo wtedy co znowu wypaliłby na ich temat albo na temat ich figur?

– Coś jeszcze?

Odezwała się Kate Spangler:

– Sędzio, niech pan coś zrobi. Ten ptak rujnuje nam firmę. Tracimy pieniądze. To po prostu nie jest w porządku.

– A czego pani by ode mnie oczekiwała?

– Nieważne, niech pan coś zrobi. Nie może pan go uśpić albo coś w tym rodzaju?

– Pani chce, żebym go zabił?

– Stój! Stój! – wrzasnął Pete.

– Może dałoby mu się podciąć skrzydła? – wtrąciła Judy Cross.

– Stój! Stój! – wrzeszczał dalej Pete, potem przeszedł na kreolski i rzucił w stronę dwóch kobiet jakieś dwie wiązanki. Kiedy skończył, sędzia Yeck zerknął na Antona.

– Co powiedział? – spytał.

Dziadkowie Antona chichotali i zasłaniali usta.

– Naprawdę brzydkie wyrazy – odparł chłopiec. – Nie lubi tych dwóch pań.

– Rozumiem. – Sędzia ponownie uniósł ręce i poprosił o ciszę. Pete zrozumiał. – Teraz pan Boone.

– A więc panie sędzio – powiedział Theo – sądzę, że będzie dobrze, jeśli mój przyjaciel opowie teraz panu o Pecie.

– Proszę, niech tak zrobi.

Anton, zdenerwowany, odchrząknął.

– Dobrze, proszę pana. Pete ma pięćdziesiąt lat. Ojciec dostał go na Haiti, jak był mały, w prezencie od swojego ojca, więc Pete jest w rodzinie już od dawna. Kiedy kilka lat temu przyjechali tutaj moi dziadkowie, Pete przyjechał razem z nimi. Afrykańskie papugi popielate to jedne z najinteligentniejszych zwierząt na świecie. Jak pan widzi, zna mnóstwo słów. Rozumie to, co się mówi. Nawet potrafi naśladować głosy ludzi.

Pete usłyszał ten tak bardzo znajomy głos i przypatrywał się Antonowi.

– Andy, Andy, Andy – zaczął.

– Jestem tu, Pete – powiedział Anton.

– Andy, Andy.

Krótka chwila przerwy, a potem Anton mówił dalej:

– Papugi lubią mieć ustalony porządek dnia i muszą co najmniej godzinę spędzać poza klatką.

Codziennie o czwartej Pete sobie wychodził, a my myśleliśmy, że po prostu wałęsa się gdzieś na podwórku. Stajnie leżą jakiś kilometr od nas, musiał je sam znaleźć. Niezmiernie nam przykro z tego powodu, ale prosimy, żeby nie robić Pete'owi krzywdy.

– Dziękuję – oświadczył sędzia Yeck. – A teraz, panie Blaze, jak pan myśli, co powinienem zrobić?

– Wysoki sądzie, jest jasne, że właściciele nie są w stanie upilnować ptaka, a mają taki obowiązek. Jedyny możliwy kompromis to nakazanie przez sąd podcięcia mu skrzydeł. Rozmawiałem z dwoma weterynarzami i jednym zoologiem, powiedzieli mi, że podobny zabieg nie jest czymś niezwykłym ani bolesnym czy kosztownym.

– Głupi jesteś! – wrzasnął Pete na cały głos.

Rozległ się śmiech, a twarz Blaze'a poczerwieniała.

– Dobra, już wystarczy – odezwał się sędzia Yeck. – Zabierać go stąd. Pete, przepraszam, chłopie, ale musisz wyjść.

Strażnik chwycił klatkę i ją wyniósł. Kiedy drzwi się zamykały, Pete klął siarczyście po kreolsku.

Gdy w sali znowu zrobiło się cicho, sędzia Yeck spytał:

– Panie Boone, a pan co proponuje?

– Okres próbny, Wysoki Sądzie – odparł Theo bez wahania. – Proszę nam dać jeszcze jedną szansę. Moi przyjaciele znajdą jakiś sposób, aby pilnować Pete'a i trzymać go z dala od stajni. Nie sądzę, żeby sobie uświadamiali, co robią albo jakich przysporzyli kłopotów. Jest im bardzo przykro przez to wszystko.

– A jeśli to się powtórzy?

– Wtedy można wyznaczyć surowszą karę.

Theo wiedział o dwóch rzeczach, o których nie wiedział Kevin Blaze. Po pierwsze, sędzia Yeck wierzył w drugie szansy i rzadko kazał zabijać zwierzęta, jeśli miał jakąś inną możliwość. Po drugie, pięć lat temu wywalono go z kancelarii Macklin, więc pewnie żywił do niej urazę.

Yeck, jak to on, oznajmił:

– Oto co zrobimy. Panno Spangler i panno Cross, bardzo paniom współczuję. Jeśli Pete znowu się pojawi, proszę go nagrać. Proszę mieć przygotowany telefon komórkowy albo kamerę i go sfilmować. Następnie proszę mi przynieść to nagranie. Wtedy, panie Boone, zabierzemy Pete'a do aresztu i przytniemy mu skrzydła. Kosztami obciążymy właścicieli. Nie będzie żadnej rozprawy, nastąpi to automatycznie. Czy to jasne, panie Boone?

– Wysoki sądzie, jeszcze tylko chwila.

Theo naradził się z trójką Regnierów, którzy wkrótce pokiwali głowami na znak zgody.

– Rozumieją, Wysoki Sądzie – oznajmił Theo.

– Dobrze. Obciążam ich odpowiedzialnością. Chcę, żeby Pete siedział w domu. I już.

– Czy mogą go teraz zabrać do domu? – spytał Theo.

– Tak. Jestem pewien, że ci dobrzy ludzie ze schroniska dla zwierząt chętnie się go pozbędą. Sprawa zamknięta. Rozprawa zakończona.

Kevin Blaze, jego klientki i reszta kobiet w wysokich butach szybko opuścili salę. Kiedy wyszli, strażnik z powrotem przyniósł Pete'a i wręczył Antonowi. Anton natychmiast otworzył klatkę i wypuścił papugę. Dziadkowie otarli łzy z policzków, pogłaskali Pete'a po grzbiecie i ogonie.

Theo odsunął się, podszedł do stołu, gdzie sędzia notował coś na wokandzie.

– Dziękuję, panie sędzio – powiedział prawie szeptem.

– To wredne ptaszysko – odparł cicho sędzia Yeck, chichocząc. – Aż szkoda, że nie mamy nagrania, jak Pete lotem nurkowym atakuje te panie na koniach.

Obaj się roześmiali, ale cicho.

– Dobra robota, Theo.

– Dziękuję.

– Wiadomo coś o dziewczynie Finnemore'ów? Theo pokręcił głową. Nie.

– Theo, bardzo mi przykro. Ktoś mi powiedział, że jesteście bliskimi przyjaciółmi.

Theo kiwnął głową.

– Bardzo bliskimi.

– To trzymajmy kciuki.

– Yeck, Yeck, Yeck – zaskrzeczał Pete, opuszczając salę rozpraw.

Rozdział 14

Jack Leeper chciał rozmawiać. Wysłał wiadomość do strażnika więziennego, który przekazał ją detektywowi Slaterowi. W późne piątkowe popołudnie Leepera wypuszczono z celi i poprowadzono starym tunelem do pobliskiego komisariatu. Slater i jego wierny pomocnik Capshaw już czekali w tym samym ciemnym, ciasnym pokoju przesłuchań. Leeper wyglądał tak, jakby od wczorajszej rozmowy nie kąpał się ani nie golił.

– Przypomniało ci się coś, Leeper? – nieuprzejmie zagadnął Slater. Capshaw, jak zwykle, notował.

– Dzisiaj rozmawiałem ze swoim prawnikiem – odpowiedział Leeper takim tonem, jakby dzięki prawnikowi zrobił się teraz ważniejszy.

– Którym?

– Ozgoode'em, Kipem Ozgoode'em.

Detektywi, na dźwięk nazwiska, równocześnie zachichotali i parsknęli, jakby wcześniej to przećwiczyli.

– Leeper, jak masz Ozgoode'a, już po tobie.

– Nawet gorzej – dodał Capshaw.

– Lubię go – odparł Leeper. – Wygląda na o wiele bystrzejszego, niż wy dwaj razem wzięci.

– Chcesz rozmawiać czy nam nawrzucać?

– Mogę jedno i drugie.

– Czy twój prawnik wie, że z nami rozmawiasz?

– No.

– O czym chcesz nam powiedzieć?

– Martwię się o tę dziewczynkę. Bo wy, pajace, najwyraźniej nie umiecie jej znaleźć. Wiem, gdzie jest, a zegar tyka i jej sytuacja robi się coraz gorsza. Trzeba ją ratować.

– No popatrz, Leeper, jakie ty masz czułe serce – powiedział Slater. – Łapiesz dziewczynę, gdzieś ją wrzucasz, a teraz chcesz jej pomóc.

– Jestem pewien, że zaproponujesz nam teraz jakiś układ – stwierdził Capshaw.

– Skapowaliście. Patrzcie, co zrobię, a wy, chłopaki, lepiej się pospieszcie, bo tu chodzi o wystraszoną dziewczynkę. Przyznam się do jednego zarzutu włamania i wejścia na teren prywatny; dostanę za to dwa lata, z czasem odsiadki jednoczesnym jak przy tamtym bagnie z Kalifornii. Prawnik mówi, że robotę papierkową można załatwić w kilka godzin. Podpisujemy umowę, prokurator i sędzia się na nią zgadzają i macie dziewczynę. Chłopaki, czas jest teraz najważniejszy, więc lepiej coś róbcie.

Slater i Capshaw wymienili nerwowe spojrzenia. Leeper miał ich w garści. Podejrzewali, że kłamie, bo niczego innego się po nim nie spodziewali. Ale co, jeśli jednak nie? Co, jeśli zawrą układ i on naprawdę zaprowadzi ich do April?

Slater powiedział:

– Leeper, już piątek, prawie szósta. Wszyscy sędziowie i prokuratorzy poszli do domu.

– Och, założę się, że dacie radę ich znaleźć. Przylecą pędem, jak się dowiedzą, że jest szansa uratować dziewczynę.

Kolejna chwila przerwy, gdy przyglądali się brodatej twarzy. Dlaczego miałby im proponować taki układ, gdyby nie wiedział, gdzie jest April? Przecież jeśliby jej nie dostarczył, całą ugodę można by wyrzucić za okno. Zresztą nie mieli żadnych innych tropów, żadnych innych podejrzanych. Zostawał tylko Leeper.

– Nie mam nic przeciwko pogawędce z prokuratorem – stwierdził Slater, dając za wygraną.

– Leeper, jeśli kłamiesz, to już w poniedziałek wyślemy cię z powrotem do Kalifornii – oznajmił Capshaw. – Czy ona cały czas jest w mieście?

– Nie powiem ani słowa, aż nie podpiszę umowy – stwierdził Leeper.

Kiedy Theo wychodził z sądu, po tym, jak ocalił Pete'a, zauważył, że dostał SMS od Ike'a. Ike chciał, żeby wpadł do niego do biura.

Ike rano zawsze wstawał z trudem, dlatego zwykle pracował do późna, nawet w piątki. Theo zastał go za biurkiem. Wszędzie leżały stosy papierów, butelka piwa była już otwarta, a ze stereo leciał Bob Dylan.

– Jak tam mój ulubiony bratanek? – zapytał Ike.

– Jestem twoim jedynym bratankiem – odparł Theo, zdjął kurtkę i usiadł na jedynym krześle, którego nie zajmowały akta albo skoroszyty.

– Tak, ale ty, Theo, byłbyś moim ulubionym, nawet jakbym miał ich ze dwudziestu.

– Skoro tak mówisz.

– Jak ci minął dzień?

Theo zdążył się już nauczyć, że być prawnikiem w sporej mierze polega na rozkoszowaniu się zwycięstwami, zwłaszcza takimi, które wiązały się ze staczaniem sądowych batalii. Prawnicy uwielbiali opowiadać o swoich dziwacznych klientach i dziwnych przypadkach, a najchętniej o dramatycznych sądowych triumfach. Theo zaczął więc sagę o Pecie i już wkrótce Ike rżał ze śmiechu. Nie dziwiło go,

że sędzia Yeck nie lubi się z większością szanowa-
nych prawników w mieście. Czasem wpadali na siebie w jakimś barze, gdzie przychodziły pić różne wy-
rzutki. Ike uważał za przezabawne, że Yeck pozwala
Theo występować na rozprawach jak prawdziwemu
prawnikowi.

Kiedy opowieść się skończyła, Ike zmienił temat.

– Cały czas mówię, że policja powinna sprawdzić ojca tej dziewczyny. Z tego, co słyszałem, wciąż
się skupiają na Jacku Leeperze, a ja uważam, że to
błąd. Prawda?

– Nie wiem, Ike. Nie wiem, co myśleć.

Ike podniósł kartkę papieru.

– Ojciec nazywa się Thomas Finnemore, mówią na niego Tom. Ten jego zespół nazywa się
Włam, od kilku tygodni są w trasie. Składa się
z Finnemore'a i czterech innych pajaców, przeważnie
stąd. Nie mają strony internetowej. Wokalista handlo-
wał kiedyś narkotykami, spotkałem go kilka lat temu.
Udało mi się wytropić jedną z jego obecnych dziewczyn. Dużo nie powiedziała, ale myśli, że są teraz
w Raleigh, w Karolinie Północnej, grają za parę cen-
tów po barach i akademikach. Nie wyglądało, żeby
bardzo tęskniła za swoim chłopakiem. Tak czy siak,
to wszystko, czego się zdołałem dowiedzieć.

– Czyli, że co ja mam zrobić?

– Zobacz, czy znajdziesz ten Włam.

Theo, sfrustrowany, pokręcił głową.

– Słuchaj, Ike, nie ma mowy, żeby April wyjechała gdzieś z ojcem. Właśnie próbuję ci to wytłumaczyć. Nie ufa mu i naprawdę go nie lubi.

– Theo, ona się też boi. To przerażona mała dziewczynka. Nie wiesz, co sobie myśli. Matka ją opuściła. Ci ludzie to świry, prawda?

– Jasne.

– Nikt się nie włamał do tego domu, bo ojciec miał klucze. Zabrał ją i wyjechali razem, nikt nie wie na jak długo.

– Dobra, ale jeśli jest z ojcem, to nic jej nie grozi, prawda?

– Co ty mówisz? Myślisz, że nic jej nie grozi, jak się teraz wałęsa z Włamem? To nie najlepsze miejsce dla trzynastolatki.

– Dobra, znajdę Włam, a potem zwyczajnie wskoczę sobie na rower i popędzę do Raleigh w Karolinie Północnej.

– Tym się będziemy później martwić. Jesteś komputerowym mądralą. Zacznij szukać, zobaczymy, co dasz radę znaleźć.

Co za strata czasu, pomyślał Theo. Nagle poczuł się zmęczony. Ten tydzień był pełen stresów, a on niewiele spał. Podekscytowanie wizytą w wydziale do spraw zwierząt pochłonęło resztę energii, teraz chciał tylko iść do domu i wczołgać się do łóżka.

– Dzięki, Ike – powiedział i złapał kurtkę.

– Nie ma o czym gadać.

Późnym wieczorem w piątek Jacka Leepera znów zakuto w kajdanki i wyprowadzono z celi. Spotkanie odbyło się w pomieszczeniu aresztu, w którym prawnicy rozmawiali z klientami. Prawnik Leepera, Kip Ozgoode, czekał już z detektywami Slaterem i Capshawem oraz młodą kobietą z biura prokuratora, Teresą Knox. Panna Knox natychmiast ruszyła do ataku. Miała dużo pracy i wcale jej się nie podobało, że wyciągnięto ją z domu w piątek wieczór.

– Panie Leeper, nie będzie żadnego układu – zaczęła. – Pańskie położenie nie pozwala panu na układy. Ma pan zarzut porwania, co oznacza do czterdziestu lat więzienia. Jeśli dziewczynie coś się stało, będzie jeszcze więcej zarzutów. Jeśli nie żyje, to pana życie tak naprawdę też już się skończyło. Najlepsze, co pan może zrobić, to powiedzieć nam, gdzie ona jest, tak żeby nie doznała już żadnej krzywdy i żeby nie postawiono panu dodatkowych zarzutów.

Leeper uśmiechnął się do panny Knox, ale się nie odezwał.

– Oczywiście zakładając, że pan w nic nie pogrywa – ciągnęła. – Podejrzewam jednak, że pan pogrywa. Tak samo podejrzewa sędzia. I policja.

– No to wszyscy będziecie żałować – odparł Leeper. – Daję wam szansę uratowania jej życia. Co do mnie, to i tak jestem pewien, że umrę w więzieniu.

– Niekoniecznie – odparowała panna Knox. – Odda pan nam dziewczynę, całą i zdrową, a my możemy zarekomendować wyrok dwudziestu lat za porwanie. Może pan to odsiedzieć tutaj.

– A co z Kalifornią?

– Nie jesteśmy w stanie kontrolować tego, co zrobią w Kalifornii.

Leeper wciąż się uśmiechał, jakby rozkoszował się chwilą. Wreszcie oświadczył:

– Tak jak pani powiedziała, nie ma układu.

Rozdział 15

Sobotnie rodzinne śniadanie Boone'ów przebiegało w dosyć napiętej atmosferze. Tak jak zwykle Theo i Sędzia jedli płatki Cheerios – Theo z sokiem pomarańczowym, a Sędzia bez – Woods Boone jadł bajgla i czytał wiadomości sportowe, a Marcella popijała kawę i na laptopie przeglądała wiadomości ze świata. Rzadko się odzywali, przynajmniej przez pierwszych dwadzieścia minut. W powietrzu ciągle jeszcze wisiały pozostałości wcześniejszych rozmów, w każdej chwili mogła zacząć się jakaś kłótnia.

Atmosfera była napięta z kilku powodów. Pierwszy, najbardziej oczywisty, stanowiło ogólne przygnębienie, które ogarnęło Boone'ów mniej więcej o czwartej rano w środę, kiedy zbudziła ich policja, prosząc o szybkie przybycie do domu Finnemore'ów.

Kiedy mijały kolejne dni bez April, nastrój tylko się pogarszał. Pojawiły się próby, głównie ze strony pana i pani Boone, aby jakoś rozładować napięcie, jednak cała trójka wiedziała, że to nic nie da. Drugim powodem, chociaż już mniej poważnym, było to, że Theo i ojciec nie mogli dzisiaj rozegrać swojej cotygodniowej partii golfa do dziewięciu dołków. Grali prawie co sobotę, o dziewiątej rano, i to była najlepsza część tygodnia.

Golfa odwołano ze względu na trzeci powód napiętej atmosfery. Państwo Boone wyjeżdżali z miasta na dwadzieścia cztery godziny, a Theo nalegał, żeby pozwolili mu zostać samemu. Kiedyś już toczył o to bój i wtedy przegrał, a teraz przegrywał znowu. Wyjaśnił, że wie, jak pozamykać na klucz wszystkie drzwi i okna; wie, jak uzbroić system alarmowy; wie, jak zadzwonić do sąsiadów, a jeśli będzie trzeba, i pod 911. Jak będzie musiał, zaśnie z krzesłem podstawionym pod drzwi; z Sędzią u boku, gotowym do ataku i metalowym kijem golfowym w garści. Absolutnie i całkowicie nic by mu nie groziło, dlatego irytowało go, że traktują go jak dziecko. Kiedy rodzice wychodzili na kolację albo do kina, nie chciał zostawać z opiekunką i teraz się wściekał, gdy na czas tego krótkiego wyjazdu nie pozwalają mu zostać samemu.

Rodzice jednak nie ustępowali. Miał tylko trzynaście lat i był jeszcze za mały, żeby zostawać sam w domu. Theo zaczął już negocjacje w tej sprawie, wręcz nagabywanie i otwarto mu furtkę do poważniejszej dyskusji, ale gdy skończy czternaście lat. Na razie potrzebował nadzoru i opieki. Matka umówiła się, że Theo spędzi noc u Chase'a Whipple'a, co w zwykłych okolicznościach byłoby całkiem w porządku. Ale, jak wyjaśnił Chase, jego rodzice wychodzą w sobotę wieczorem na kolację i zostawią ich obu pod opieką starszej siostry Chase'a, Daphne. Wyjątkowo niesympatycznej szesnastolatki, która ciągle siedziała w domu, bo nie miała przyjaciół i uważała, że dlatego musi koniecznie flirtować z Theo. Theo już raz ledwo co przetrwał takie piżamowe party, niecałe trzy miesiące temu, kiedy rodzice pojechali na pogrzeb do Chicago.

Protestował, marudził, bzdyczył się, dyskutował, grymasił – i nic nie zadziałało. Sobotnią noc miał spędzić w suterenie domu Whipple'ów, w towarzystwie pyzatej Daphne, paplającej bez przerwy i gapiącej się na niego, podczas gdy Chase próbowałby grać na komputerze i oglądać telewizję.

Państwo Boone zastanawiali się, czy w ogóle nie odwołać wyjazdu, biorąc pod uwagę uprowadzenie April i ogólny niepokój, jaki ogarnął miasto. Zamierzali wybrać się do odległego o kilkaset kilometrów popularnego kurortu w Briar Springs i spędzić tam kilka miłych godzin z paczką prawników z całego stanu. Po południu miały się odbyć seminaria, wykłady, potem koktajle i przyszłaby pora na długą kolację, a w jej trakcie na kolejne przemowy starych sędziów i tępawych polityków. Woods i Marcella udzielali się w stanowej Izbie Prawniczej i za nic nie opuściliby dorocznego spotkania w Briar Springs. W dodatku akurat to spotkanie było jeszcze ważniejsze, bo Marcella miała wykład o ostatnich trendach w prawie rozwodowym, a Woods chciał wziąć udział w seminarium na temat kryzysu w kwestii zajmowania obciążonych nieruchomości. Oboje przygotowali już notatki i nie mogli się doczekać popołudnia.

Theo zapewniał rodziców, że nic mu się nie stanie, a w Strattenburgu też za nimi nie zatęsknią, jeśli nie będzie ich dwadzieścia cztery godziny. Podczas piątkowej kolacji postanowili więc, że jednak pojadą. Zdecydowali też, że Theo zostanie z Whipple'ami mimo jego głośnego sprzeciwu. Theo przegrał. I chociaż się z tym pogodził, w sobotę obudził się w podłym humorze.

– Theo, przepraszam za tego golfa – powiedział pan Boone, nie odrywając oczu od strony z wiadomościami sportowymi.

Theo milczał.

– Nadrobimy w następną sobotę, zagramy do osiemnastu dołków. Co ty na to?

Theo mruknął.

Matka zamknęła laptop i spojrzała na niego.

– Theo, kochanie, wyjeżdżamy za godzinę. Jakie masz plany na popołudnie?

Minęło kilka sekund, zanim Theo odpowiedział.

– Och, sam nie wiem. Myślę, że po prostu będę się tutaj kręcił i czekał, aż pojawią się porywacze i mordercy. Jak dojedziecie do Briar Springs, to pewnie już nie będę żył.

– Nie kpij z matki – ostro rzucił Woods, a potem podniósł gazetę, żeby zasłonić uśmiech.

– Będziesz się dobrze bawił u Whipple'ów – powiedziała pani Boone.

– Nie mogę się doczekać.

– A teraz wracam do mojego pytania. Jakie masz plany na popołudnie?

– Jeszcze nie wiem. Chase i ja może pójdziemy na jakiś mecz między ogólniakami, może i na dwa, a może pójdziemy do Paramountu i obejrzymy sobie dwa filmy w cenie jednego. Jest jeszcze mecz hokeja.

– I nie szukasz April, jasne, Theo? Już o tym rozmawialiśmy. Nie ma żadnej potrzeby, żebyście jeździli po mieście i udawali detektywów.

Theo kiwnął głową.

Ojciec pochylił się nad gazetą i zerknął na niego.

– Theo, dajesz nam słowo? Już więcej żadnych ekip poszukiwawczych?

– Daję słowo.

– Chcę, żebyś wysyłał nam SMS-y co dwie godziny, zaczynając od jedenastej rano. Zrozumiałeś? – zapytała matka.

– Zrozumiałem.

– I uśmiechnij się, Theo. Zmieniaj świat na lepszy.

– Nie chce mi się teraz uśmiechać.

– Daj spokój, misiaczku – powiedziała, sama się uśmiechając.

Nazwanie „misiaczkiem" wcale nie poprawiło Theo humoru, tak jak ciągłe przypominanie, żeby „się uśmiechał i zmieniał świat na lepszy". Jego zęby na dwa lata wsadzono w grube obręcze i miał już tego dość. Jakoś nie potrafił sobie wyobrazić, żeby świecenie ustami pełnymi metalu mogło zmienić cokolwiek na lepsze.

Rodzice wyjechali dokładnie według planu, o dziesiątej, bo zakładali, że przyjadą na miejsce dokładnie o pierwszej trzydzieści po południu. Marcella miała wykład o drugiej trzydzieści, Woods swoje seminarium o trzeciej trzydzieści. Jako zapracowani prawnicy żyli według zegarka i nie pozwalali sobie na marnowanie czasu.

Theo odczekał pół godziny, potem zapakował plecak i ruszył do kancelarii. Sędzia poszedł za nim. Tak jak się spodziewał, firma Boone & Boone opustoszała.

Rodzice rzadko przychodzili do niej w sobotę, a z pewnością nie przychodziła tam reszta pracowników. Otworzył drzwi wejściowe, rozbroił alarm i włączył światło w głównej bibliotece, z przodu budynku. Wysokie okna wychodziły na niewielki trawnik i na ulicę. Sala pachniała i wyglądała jak bardzo ważne miejsce. Kiedy z biblioteki akurat nie korzystali prawnicy albo ich asystenci, Theo często odrabiał tu lekcje. Przyniósł Sędziemu miskę z wodą, potem wypakował laptop i komórkę.

Zeszłego wieczoru poświęcił kilka godzin na szukanie wiadomości o zespole Włam. Wciąż trudno mu było uwierzyć, że April mogłaby w środku nocy wyjść z domu z ojcem, ale teoria Ike'a była lepsza od czegokolwiek, co Theo potrafił wymyślić. Zresztą, co miał w ten weekend lepszego do roboty?

Na razie nie natknął się na chociażby ślad zespołu Włam. Przeszukując okolice Raleigh–Durham–Chapel Hill, znalazł kilkanaście sal koncertowych, klubów muzycznych, miejsc imprez, barów, nawet sal weselnych. Mniej więcej połowa miała strony w Internecie albo na Facebooku i nigdzie nie wspominano o grupie Włam. Znalazł jeszcze trzy undergroundowe tygodniki, w których wymieniono setki miejsc, gdzie można posłuchać muzyki na żywo.

Korzystając z firmowego telefonu, Theo zaczął obdzwaniać te miejsca w kolejności alfabetycznej.

Pierwsza była spółka Abbey's Irish Rose w Durham. Zgrzytliwy głos powiedział:

– Abbey's, słucham?

Theo starał się mówić tak nisko, jak tylko zdołał.

– Dzień dobry, chciałbym się dowiedzieć, czy dzisiaj wieczorem gra tutaj zespół Włam?

– Nigdy o nim nie słyszałem.

– Dziękuję. – Szybko odłożył słuchawkę.

W Brady's Barbeque w Raleigh jakaś kobieta powiedziała:

– Dzisiaj wieczorem nie mamy żadnego zespołu.

Theo, który wraz z każdym pytaniem chciał dowiedzieć się jak najwięcej, zapytał:

– Czy kiedykolwiek grał u was Włam?

– Nigdy o nich nie słyszałam.

– Dziękuję.

Brnął dalej, po kolei przez alfabet i nigdzie nie dotarł. Istniało spore prawdopodobieństwo, że kiedy Elsa dostanie miesięczny rachunek, wtedy zapyta o te wszystkie połączenia. Jeżeli tak się zdarzy, Theo postanowił wziąć winę na siebie. Mógł nawet ostrzec Elsę, powiedzieć, dlaczego dzwonił, i poprosić, żeby uregulowała rachunek, nie wspominając nic rodzicom. Ale zajmie się tym później. Nie miał innego wyboru, jak używać telefonu firmowego, bo jeśli chodziło o rachunki za komórkę, matka zachowywała się jak prawdziwa nazistka. Gdyby dowiedziała się o mnóstwie telefonów do mnóstwa barów w Raleigh–Durham, musiałby się potem gęsto tłumaczyć.

Pierwszą zapowiedź sukcesu stanowiła rozmowa z lokalem o nazwie Traction, w Chapel Hill. Jakiś uczynny młody człowiek, który z głosu nie wydawał się starszy od Theo, powiedział, że Włam grał tu chyba kilka miesięcy temu. Kazał Theo poczekać i poszedł sprawdzić u kogoś o imieniu Eddie. Tamten potwierdził, że Włam się przewinął, a młody człowiek zapytał:

– Chyba nie chcesz ich wynająć, co?

– Może – odpowiedział Theo.

– Nie warto. Nikt na nich nie przyjdzie.

– Dzięki.

– To akademikowa kapela.

Dokładnie o jedenastej Theo wysłał SMS do mamy: „Siedzę sam w domu. W piwnicy jest seryjny morderca".

Odpisała: „To wcale nie jest śmieszne. Kocham cię. Buziaki".

Theo brnął dalej, telefon za telefonem, tropiąc Włam bez większych rezultatów.

Chase przyjechał koło południa i rozpakował laptop. Do tej pory Theo zdążył już porozmawiać z ponad sześćdziesięcioma menedżerami, barmanami, kelnerkami, ochroniarzami, a nawet z pomywaczem, który bardzo słabo znał angielski. Te krótkie rozmowy przekonały go, że Włam jest kapelą dla studentów, niecieszącą się dużą popularnością. Jakiś barman z Raleigh, który twierdził, że wie o „każdej kapeli, jaka przyjeżdża do miasta", przyznał, że nigdy nie słyszał o Włamie. Trzy razy Theo usłyszał: „akademikowa kapela".

– Teraz sprawdź bractwa studenckie – powiedział Chase. – Męskie i żeńskie.

Szybko się dowiedzieli, że w okolicach Raleigh i Durham mieści się dużo college'ów i uniwersytetów, przede wszystkim Uniwersytet Duke'a, Uniwersytet Karoliny Północnej i Uniwersytet Stanowy Karoliny Północnej. Jednak o godzinę jazdy od tych miejscowości znajdowało się też kilkanaście mniejszych uczelni. Postanowili zacząć od tych większych. Mijały kolejne minuty, kiedy we dwóch sprawdzali kolejne szkoły. Śmigali po Internecie, ścigając się, kto pierwszy znajdzie coś przydatnego.

– W Duke nie ma akademików bractw – powiedział Chase.

– A co to oznacza, jeśli chodzi o imprezy i zespoły? – zapytał Theo.

– Tak do końca to nie wiem. Lepiej wróćmy do Duke. Ty bierz Stanowy, a ja Karoliny Północnej.

Theo szybko się zorientował, że na Uniwersytecie Stanowym są dwadzieścia cztery męskie bractwa studenckie i dziewięć żeńskich, a większość ma siedziby poza kampusem. Wyglądało na to, że każde prowadzi stronę internetową – chociaż różnej jakości.

– Ile takich bractw jest na Uniwersytecie Karoliny Północnej? – zapytał.

– Dwadzieścia dwa dla chłopaków i dziewięć dla dziewczyn.

– Przejrzyjmy wszystkie strony.

– Właśnie to robię. – Palce Chase'a nie zatrzymywały się nawet na chwilę. Theo był szybki na laptopie, ale nie tak szybki jak Chase. Teraz zaczęli wyścig, każdy bardzo chciał pierwszy dokopać się do jakiejś przydatnej informacji. Sędzia, który zawsze lubił sypiać pod czymś – stołem, łóżkiem, krzesłem – chrapał spokojnie pod stołem konferencyjnym.

Strony szybko zaczęły im się zlewać w jedno. Zawierały informacje o członkach bractw, absolwentach, projektach, nagrodach, kalendarzach, a co najważniejsze – imprezach. Zdjęcia się nie kończyły – z imprez, narciarskich wypadów, grilla na plaży, zawodów frisbee i eleganckich przyjęć, z chłopakami w smokingach i dziewczynami w wieczorowych sukniach. Theo złapał się na tym, że nie może się doczekać, aż pójdzie do college'u.

Obie uczelnie grały ze sobą w futbol, mecz zaczynał się o czternastej. Theo o nim wiedział; już nawet gadali o nim z Chase'em. Stanowa uczelnia prowadziła dwoma punktami. Jednak takie rzeczy przesta-

ły już ciekawić. Ważne się stało, że mecz dawał brac-
twom okazję do imprezy. Drużyny grały w Chapel
Hill. Najwyraźniej w piątkowy wieczór imprezowali
i tańczyli studenci Uniwersytetu Stanowego, a bractwa Uniwersytetu Karoliny Północnej planowały to
samo w wieczór sobotni.

Theo zamknął kolejną stronę i mruknął sfrustrowany:

– Doliczyłem się dziesięciu imprez bractw
w Stanowym, ale tylko na czterech stronach poda-
li nazwy zespołów. Skoro się zapowiada na swojej
stronie jakąś imprezę, to dlaczego się nie podaje, kto
będzie grał?

– Tutaj tak samo – powiedział Chase. – Rzadko
podają nazwę zespołu.

– Ile imprez jest dzisiaj w Chapel Hill? – zapytał Theo.

– Może kilkanaście. Wygląda na to, że będzie naprawdę wesoło.

Przejrzeli wszystkie strony bractw obu uczelni.
Była już pierwsza po południu.

Theo napisał do matki: „Jestem z Chase'em.
Goni nas morderca z siekierą. Już po nas. Zaopiekuj
się Sędzią. Kocham was".

Po kilku minutach odpisała:

„Jak miło dostać od ciebie wiadomość. Uważaj
na siebie. Buziaki. Mama".

Rozdział 16

W małej kuchence, gdzie pracownicy kancelarii Boone & Boone toczyli ciche wojny o jedzenie, Theo znalazł torebkę precelków i dwa napoje dietetyczne. Panowały tu proste zasady – jeśli przynosiłeś jedzenie, którym nie chciałeś się dzielić, podpisywałeś je swoimi inicjałami i miałeś nadzieję, że to wystarczy. W innym przypadku sytuacja była jasna. Jednak w rzeczywistości wszystko okazywało się bardziej skomplikowane. Nagminnie „pożyczano" jedzenie z czyichś prywatnych zapasów i nie zawsze robiono z tego aferę. Dobre maniery wymagały, żeby po pożyczeniu jak najprędzej oddać, co się wzięło. Wynikało z tego mnóstwo sporów. Pan Boone nazywał kuchnię polem minowym i nawet nie chciał się do niej zbliżać.

Theo podejrzewał, że precelki i napoje należały do Dorothy, sekretarki, która ciągle próbowała schudnąć. Zanotował sobie w pamięci, żeby uzupełnić zapasy.

Chase zaproponował, żeby poszli do liceum na czternastą i obejrzeli pierwszy w sezonie mecz kosza, w którym grał Strattenburg. Theo się zgodził. Zmęczył się Internetem, uważał, że ich praca niczego nie przyniosła. Ale miał jeszcze jeden, ostatni pomysł.

– Skoro na Stanowym zeszłego wieczoru były imprezy, przelećmy każde ich bractwo, sprawdźmy na chybił trafił kilka stron na Facebooku, zdjęcia.

– Mówiłeś, że było dziesięć imprez, no nie? – Chase chrupał grubego precla.

– Tak, a przy czterech jest nazwa zespołu. Zostaje sześć imprez z jakimiś nieznanymi kapelami.

– A tak dokładnie, czego szukamy?

– Czegokolwiek, co pozwoli nam zidentyfikować Włam. Jakieś oświetlenie, afisz, nazwę na bębnie, cokolwiek.

– A co, jak się dowiemy, że właśnie oni grali zeszłej nocy na jakiejś imprezie bractwa ze Stanowego? Czy to znaczy, że zagrają dzisiaj na imprezie Karoliny Północnej?

– Może. Słuchaj Chase, tylko zgadujemy, nie? Strzelamy w ciemno.

– I to jak!

– Masz lepszy pomysł?

– Teraz nie.

Theo wysłał Chase'owi linki do stron trzech bractw.

– Sigma Nu ma osiemdziesięciu członków – oznajmił Chase. – Ilu...

– Bierzmy po pięciu z każdego bractwa. Wybieraj na chybił trafił. Wiem, że musisz wybierać profile otwarte, bez zabezpieczeń.

– Wiem, wiem.

Theo wszedł na stronę członka bractwa Chi Psi, Buddy'ego Zilesa, studenta drugiego roku, z Atlanty. Buddy miał mnóstwo znajomych i setki zdjęć, ale ani jednego z ostatniego wieczoru. Theo brnął dalej, to samo Chase. Mówili niewiele. Obu wkrótce znudziły niekończące się fotki grup studentów, pozujących, wrzeszczących i tańczących, zawsze z piwem w łapie.

Nagle Chase ożywił się i powiedział:

– Mam kilka zdjęć z ostatniej nocy. Jakaś impreza z zespołem.

Powoli przeglądał zdjęcia, aż wreszcie oznajmił:

– Nic.

Sto zdjęć później Theo nagle się zatrzymał, dwukrotnie kliknął i zrobił zbliżenie. Był na Facebooku, na niezabezpieczonej stronie członka bractwa Alpha

Nu, Vince'a Snydera, studenta drugiego roku, z dystryktu Kolumbia. Vince umieścił na stronie kilkanaście zdjęć z ostatniej imprezy.

– Chase, chodź tutaj – powiedział Theo takim głosem, jakby właśnie zobaczył ducha.

Chase obiegł pędem krzesło Theo i nachylił się nad komputerem. Theo wskazał ekran. To było typowe zdjęcie z imprezy pokazujące tłum tańczących dzieciaków.

– Widzisz to? – zapytał.

– Tak, a co to jest?

– To kurtka Twinsów z Minnesoty, granatowa z biało-czerwonymi literami.

Na środku widać było niewielki parkiet, a ktokolwiek zrobił zdjęcie, chciał na nim uchwycić paru swoich przyjaciół poruszających się w rytm muzyki. Jedna z dziewczyn miała bardzo krótką spódniczkę. To pewnie główny powód zdjęcia, uznał Theo. Na lewo od parkietu, prawie pośrodku tłumu, stał wokalista, z gitarą, otwartymi ustami i zamknietymi oczami, jakby odpłynął – a zaraz za nim było miejsce, które pokazywał Theo. Za zestawem wysokich głośników stała jakaś mała postać, jakby przyglądała się tłumowi. Stała trochę z boku, widzieli tylko litery T i W z napisu „TWINS" na plecach kurtki. Miała krótkie włosy i chociaż większość twarzy tonęła w ciemnościach, Theo nie miał żadnych wątpliwości.

To była April.

O dwudziestej drugiej trzydzieści dziewięć, kiedy zrobiono zdjęcie, dziewczyna zdecydowanie jeszcze żyła.

– Jesteś pewien? – zapytał Chase, nachylając się bliżej. Nosami prawie dotykali ekranu.

– Dałem jej tę kurtkę Twinsów w zeszłym roku, jak ją wygrałem w konkursie. Dla mnie była za mała. Mówiłem o tym policji, a oni powiedzieli, że nie znaleźli jej nigdzie u niej w domu. Uznali, że miała ją na sobie, kiedy wyszła.

Znów wskazał zdjęcie.

– Popatrz na te krótkie włosy i na profil. Chase, to na pewno April. Zgadzasz się?

– Może. Nie wiem.

– To ona – stwierdził Theo.

Obaj odsunęli się od ekranu, a potem Theo wstał i przeszedł się po pokoju.

– Jej matki nie było w domu przez całe trzy noce. April była strasznie przerażona, więc zadzwoniła do ojca, a może to on do niej zadzwonił. Tak czy inaczej, pojechał do niej w nocy, otworzył drzwi swoim kluczem, zabrał April i oboje wyjechali. Następne cztery dni była w trasie, po prostu trzymała się zespołu.

– Nie powinniśmy zadzwonić na policję?

Theo spacerował, myślał, pocierał podbródek i zastanawiał się.

– Nie. Jeszcze nie. Może później. Zróbmy tak: skoro wiemy, gdzie była zeszłej nocy, spróbujmy się dowiedzieć, gdzie jest dzisiaj wieczorem. Obdzwońmy wszystkie bractwa z Karoliny Północnej, Duke, Wake Forest i całą resztę, aż się dowiemy, gdzie dzisiaj gra Włam.

– Uniwerek Karoliny Północnej jest całkiem rozrywkowy – zauważył Chase. – Co najmniej kilkanaście imprez.

– Daj mi listę.

Theo dzwonił, a Chase słuchał i notował. W domu pierwszego bractwa nikt nie podniósł słuchawki. Drugie było bractwo żeńskie Kappa Delta, gdzie jakaś dziewczyna powiedziała, że nie wie, jak dokładnie nazywał się zespół z imprezy. Trzeciego telefonu nikt nie odebrał. W siedzibie Delty ktoś podał inną nazwę zespołu. I tak to szło. I znowu Theo był coraz bardziej sfrustrowany, ale i szczęśliwy, że April nic się nie stało. Bardzo chciał ją odnaleźć.

Ósmy telefon okazał się wręcz magiczny. Jakiś student z Kappa Theta powiedział, że nic nie wie o żadnym zespole i właśnie spóźnia się na mecz, ale niech chwilę zaczekają. Wrócił do telefonu i oznajmił:

– No tak, ten zespół nazywa się Włam.

– Kiedy zaczynają grać? – zapytał Theo.

– Jak im wypadnie. Zwykle koło dziewiątej. Stary, muszę lecieć.

Precle już zniknęły. Tak naprawdę Theo nie miał pojęcia, co teraz zrobić. Chase był przekonany, że powinni zadzwonić na policję, ale Theo już nie tak bardzo.

Jasne były dwie sprawy, przynajmniej dla Theo. Pierwsza, że dziewczyną ze zdjęcia jest April. Druga, że jest z zespołem, a ten zespół dzisiaj w nocy gra w akademiku Kappa Theta, w Chapel Hill w Karolinie Północnej. Zamiast na policję zadzwonił do Ike'a.

Dwadzieścia minut później Theo, Chase i Sędzia wbiegli po schodach do biura Ike'a. Kiedy Theo do niego dzwonił, Ike właśnie jadł lunch w greckich delikatesach na dole. Chase i Ike przedstawili się sobie nawzajem i Theo znalazł w komputerze Ike'a zdjęcie April.

– To ona – oświadczył.

Ike staranie przestudiował fotografię. Okulary do czytania sterczały mu na czubku nosa.

– Jesteś pewien?

Theo opowiedział o kurtce. Opisał wzrost dziewczyny, jej fryzurę i kolor włosów, wskazał profil nosa i podbródka.

– To April – stwierdził.

– Skoro tak mówisz.

– Ike, jest z ojcem, tak jak mówiłeś. Jack Leeper nie miał nic wspólnego z jej zniknięciem. Policja podejrzewa nie tego człowieka.

Ike pokiwał głową i uśmiechnął się, ale nawet bez odrobiny zadowolenia z siebie. W dalszym ciągu wpatrywał się w ekran.

– Chase uważa, że powinniśmy zawiadomić policję – stwierdził Theo.

– No jasne – powiedział Chase. – Dlaczego nie?

– Niech się zastanowię. – Ike odepchnął krzesło i zerwał się na równe nogi. Włączył stereo i obszedł pokój dookoła. Wreszcie oświadczył: – Nie podoba mi się pomysł, żeby zawiadomić policję, w każdym razie nie teraz. Posłuchajcie, co się może stać. Nasza policja zadzwoni na policję w Chapel Hill, a nie wiemy dokładnie, co oni tam zrobią. Pewnie wejdą na imprezę i spróbują znaleźć April. To może być trudniejsze, niż myślisz. Przyjmijmy, że to jakaś duża impreza, kupa studentów baluje, pije i robi inne rzeczy, a kiedy pojawi się policja, wszystko się może stać. Policja może okazać się rozsądna albo i nie. Może nie zainteresuje ich jakaś tam dziewczyna, która po prostu się szwenda, kiedy jej ojciec gra w zespole. A może dziewczyna nie chce, żeby policja ją ratowała. Mnóstwo rzeczy może się zdarzyć, a większość z nich niedobra. Nie ma nakazu aresztowania jej ojca, bo tutejsza policja o nic go nie oskarżyła. Jeszcze nie jest podejrzany. – Ike krążył za swoim biurkiem, a chłopcy przyglądali się każdemu ruchowi i łapali każde słowo. –

A tak w ogóle wątpię, żeby policja zrobiła pierwszy ruch.

Opadł na krzesło i spojrzał na zdjęcie. Skrzywił się, uszczypnął w nos i potarł wąsy.

– Wiem, że to ona – powiedział Theo.

– A co, jeśli to nie ona, Theo? – ponuro zapytał Ike. – Na świecie jest więcej niż tylko jedna kurtka Twinsów. Nie widzisz jej oczu. Wiesz, że to April, bo bardzo chcesz, żeby to była April. Rozpaczliwie pragniesz, żeby to była April, ale co, jeśli się mylisz? Powiedzmy, że od razu pójdziemy na policję, oni narobią szumu i zadzwonią do kumpli z Chapel Hill, którzy też narobią szumu, pójdą dzisiaj na imprezę i: a) nie będą mogli znaleźć dziewczyny albo b) znajdą dziewczynę, a to nie będzie April. Nieźle byśmy się wygłupili, co?

Nastała chwila ciężkiej ciszy, kiedy chłopcy zastanawiali się, jak bardzo by się wygłupili, gdyby okazało się, że nie mają racji. Wreszcie odezwał się Chase.

– A dlaczego nie zadzwonimy do jej matki? Mogę się założyć, że rozpozna córkę, a potem to już nie nasza sprawa.

– Wcale tak nie sądzę – odparł Ike. – To wariatka i może zrobić wszystko. Wcale dla April nie będzie najlepiej, jeśli teraz włączy się jej matka. Z tego co słyszałem, doprowadza policję do szału i starają się jej unikać.

Kolejna długa chwila ciszy. Cała trójka gapiła się na ściany.

– Ike, co robić? – zapytał Theo.

– Najrozsądniejsze, co możemy zrobić, to pojechać po dziewczynę, przywieźć ją tu, a potem zadzwonić na policję. I to musi zrobić ktoś, komu ona ufa. Ktoś taki jak ty, Theo.

Theo opadła szczęka. Otworzył szeroko usta, ale nie powiedział ani słowa.

– Na rowerze będziemy długo jechać – stwierdził Chase.

– Theo, powiedz o wszystkim rodzicom i namów ich, żeby cię tam zawieźli. Musisz spotkać się z April, upewnić się, że nic jej nie jest, i ściągnąć ją z powrotem. Natychmiast. Nie ma chwili do stracenia.

– Ike, moich rodziców nie ma. Pojechali do Briar Springs, na konferencję Izby Prawniczej i nie wrócą do jutra. Dzisiaj nocuję u Chase'a.

Ike spojrzał na Chase'a i zapytał:

– Czy twoi rodzice mogą tam pojechać?

Chase pokręcił głową.

– Nie, nie sądzę. Jakoś ich nie widzę, jak pakują się w coś takiego. Zresztą dzisiaj wychodzą na kolację z jakimiś przyjaciółmi i to dla nich coś ważnego.

Theo spojrzał na stryja i zobaczył w jego oczach błysk nie do pomylenia z niczym innym, jak u dzieciaka gotowego na przygodę.

– Ike, wychodzi na to, że zostałeś tylko ty – powiedział. – A jak mówiłeś, nie ma chwili do stracenia.

Rozdział 17

Przygoda rozpoczęła się od kilku poważnych problemów. Theo rozmyślał o rodzicach i czy ma, czy nie ma im o wszystkim powiedzieć. Ike rozmyślał o swoim samochodzie i wiedział, że nie da rady nim pojechać. Chase rozmyślał o tym, że Theo miał spędzić dzisiejszą noc u niego i że to zupełnie niemożliwe, by jego nieobecność pozostała niezauważona.

Co do rodziców Theo nie podobał się pomysł, żeby do nich dzwonił i prosił o pozwolenie na jazdę do Chapel Hill. Ike uważał, że to dobry plan – Chase w tej sprawie się nie wypowiadał – ale Theo był na nie. Taki telefon mógł zepsuć im wyjazd, przeszkodzić w wykładach i seminariach, i tak dalej – a poza tym Theo uważał, że rodzice (zwłaszcza matka) powiedzieliby „nie". Potem stanąłby przed decyzją, czy ma ich posłuchać, czy nie. Ike sądził, że dałby radę wszystko załatwić i przekonać Woodsa i Marcellę, że sprawa jest pilna, ale Theo jakoś nie dał się przekonać. Uważał, że z rodzicami trzeba szczerze i niewiele przed nimi ukrywał, ale teraz było trochę inaczej. Gdyby udało się im sprowadzić April, wtedy wszyscy, łącznie z rodzicami, tak by się ucieszyli, że Theo uniknąłby kłopotów.

Ike jeździł starym sportowym triumphem spitfire'em, który wciąż się psuł, miał tylko dwa fotele, odsuwany przeciekający dach, prawie łyse opony i silnik wydający dziwne dźwięki. Theo go uwielbiał, ale często się zastanawiał, jak w ogóle można nim jeździć po mieście. Zresztą potrzebowali czterech miejsc – dla Theo, Ike'a, Sędziego i – jak mieli nadzieję – dla April. Rodzice pojechali samochodem matki. SUV ojca został w garażu, gotowy do drogi. Ike uznał, że może pożyczyć wóz od swojego brata, zważywszy na wagę całej misji.

Najpoważniejszy problem stanowił Chase. Musiał przez noc jakoś ukryć nieobecność Theo w domu Whipple'ów. Dyskutowano, czy rodzicom Chase'a jednak nie wyjaśnić, o co chodzi. Ike nawet zgłosił się na ochotnika, powiedział, że do nich zadzwoni i wszystko wytłumaczy, ale Theo uznał, że to zły pomysł. Pani Whipple też była prawniczką i miała mnóstwo do powiedzenia prawie o wszystkim.

Theo nie wątpił, że od razu zadzwoni do jego matki i pokrzyżuje ich plany. I z jeszcze jednego powodu chciał, żeby Ike siedział cicho – wśród prawników stryj nie cieszył się zbyt dobrą opinią. Theo bez trudu potrafił sobie wyobrazić, jak panią Whipple ogarnia panika na myśl o Ike'u Boonie pędzącym z bratankiem na jakąś zwariowaną wyprawę.

O trzeciej po południu Theo wysłał SMS do matki: „Jeszcze żyję. Chase też. Obijamy się. Buziaki".

Nie spodziewał się odpowiedzi, bo właśnie teraz matka była w samym środku prezentacji.

O trzeciej piętnaście Theo i Chase zaparkowali rowery na podjeździe domu Whipple'ów i weszli do środka. Pani Whipple wyciągnęła z piekarnika blachę ciasteczek. Podbiegła do Theo, przywitała go, powiedziała, że się bardzo się cieszy, że go może gościć – i tak dalej. Lubiła przesadzać. Theo położył na stole czerwoną podróżną torbę Nike, tak żeby nie mogła tego przegapić.

Kiedy pani Whipple podała ciasteczka i mleko, Chase oznajmił, że zastanawiają się, czy może nie pójść do kina, a potem może jeszcze na mecz siatkówki w Stratten College.

– Siatkówki? – zapytała pani Whipple.

– Po prostu uwielbiam siatkówkę – odparł Chase. – Mecz zaczyna się o szóstej i powinien się skończyć koło ósmej. Mamo, nic nam nie będzie. To tylko college.

Tak naprawdę mecz siatkówki był tego wieczoru jedyną imprezą sportową w kampusie. I to siatkówką dziewcząt. Ani Chase, ani Theo nigdy jeszcze nie oglądali takiego meczu, na żywo czy w telewizji.

– Co grają w kinie? – zapytała pani Whipple, wciąż krojąc ciasteczka na prostokąty.

– *Harry'ego Pottera* – odparł Theo. – Jeśli się pospieszymy, to obejrzymy prawie całego.

– A potem idziemy na mecz – wtrącił się Chase. – W porządku, mamo?

– Tak sądzę – powiedziała.

– Ty i tata idziecie na tę kolację?

– Tak, z Coleyami i Shepherdami.

– O której będziecie w domu? – zapytał Chase, zerkając na Theo.

– Och, sama nie wiem. O dziesiątej albo o dziesiątej trzydzieści. Daphne zostaje i chce zamówić pizzę. W porządku?

– Jasne – odparł Chase.

Przy odrobinie szczęścia Theo i Ike powinni dotrzeć do Chapel Hill do dziesiątej. Trudniej będzie unikać Daphne od ósmej do dziesiątej. Chase nie miał jeszcze planu, ale już nad nim pracował.

Podziękowali za ciasteczka i powiedzieli, że idą do Paramountu, staroświeckiego kina przy Main

Street. Kiedy wyszli, pani Whipple zabrała torbę podróżną Theo na górę, do pokoju Chase'a i położyła na podwójnym łóżku.

O czwartej Theo, Ike i Sędzia wyjeżdżali SUV-em z domu Boone'ów. Chase samotnie oglądał najnowszego *Harry'ego Pottera*.

Program MapQuest określił czas podróży na siedem godzin, pod warunkiem przestrzegania wszystkich ograniczeń prędkości – co było ostatnią rzeczą, o jakiej myślał Ike. Kiedy pędem wyjeżdżali z miasta, zapytał:

– Denerwujesz się?

– Denerwuję.

– A czym się denerwujesz?

– Denerwuję się chyba tym, że mnie przyłapią. Jeśli pani Whipple się dowie, zadzwoni do matki, a matka zadzwoni do mnie i wpadnę w niezłe kłopoty.

– Dlaczego miałbyś wpaść w kłopoty? Próbujesz pomóc przyjaciółce.

– Nie jestem uczciwy, Ike. Nie jestem uczciwy w stosunku do Whipple'ów. Nie jestem uczciwy w stosunku do moich rodziców.

– Theo, spójrz na to z dystansu. Jeśli wszystko pójdzie dobrze, to jutro rano wrócimy do domu razem z April. Twoi rodzice i wszyscy w mieście będą się bardzo cieszyć, że ją widzą. W tych okolicznościach to jest właśnie coś, co trzeba zrobić. Może jest w tym trochę oszustwa, ale nie ma innego sposobu.

– I tak się cały czas denerwuję.

– Theo, jestem twoim stryjem. Co takiego złego, że wybieram się na małą wycieczkę ze swoim ulubionym bratankiem?

– Chyba nic.

– No to się przestań martwić. Jedyne, co się teraz liczy, to odnaleźć April i zabrać ją z powrotem do domu. Nic innego nie jest teraz ważne. Jeśli wszystko spali na panewce, zamienię kilka słów z rodzicami i całą winę wezmę na siebie. Wyluzuj.

– Dzięki, Ike.

Pędzili autostradą, ruch był niewielki. Sędzia już spał na tylnym siedzeniu. Telefon Theo zawibrował. SMS od Chase'a: „Film jest niesamowity. U was wszystko OK?"

Theo odpowiedział: „Tak, OK".

O piątej wysłał SMS do matki: „*Harry Potter* jest niesamowity".

Po kilku minutach odpisała: „Super. Buziaki. Mama".

Wjechali na drogę ekspresową, Ike ustawił tempomat na sto dwadzieścia kilometrów, dwadzieścia ponad limit.

– Ike, wyjaśnij mi coś – odezwał się Theo. – O April było we wszystkich wiadomościach, prawda?

– Prawda.

– To dlaczego April albo jej ojciec, albo któryś z facetów z zespołu nie dowiedział się o tym z wiadomości i nie zrozumiał, co się dzieje? Chyba wiedzą, że się jej szuka?

– Owszem, można tak pomyśleć. Ale niestety jest mnóstwo zaginionych dzieci, wydaje się, że codziennie są nowe. A chociaż u nas to ważna wiadomość, może wcale nie jest już taka ważna tam, gdzie oni są. Kto wie, co jej ojciec opowiedział kumplom z zespołu. Jestem pewien, że wiedzą, że ta rodzina nie była jakaś normalna. Może im powiedział, że matka to wariatka, że musi ratować córkę i chce żeby było o tym cicho, aż do jakiegoś tam momentu. Mogą się bać mówić o czymkolwiek. Ci faceci też nie są zbyt stabilni. To czterdziestolatkowie, co próbują zostać gwiazdami rocka, są na nogach przez całą noc, śpią cały dzień, jeżdżą wynajętą furgonetką, grają za orzeszki po barach i akademikach. Pewnie cały czas przed czymś uciekają. Nie wiem, Theo, to nie ma sensu.

– Założę się, że jest okropnie wystraszona.

– Wystraszona i zdezorientowana. Dziecko zasługuje na coś więcej.

– A co, jeśli nie będzie chciała zostawić ojca?

– Jeśli ją znajdziemy i nie zechce pójść z nami, nie będzie innego wyjścia, jak dzwonić na policję w Strattenburgu i powiedzieć, gdzie jest. Proste.

Theo nic nie wydawało się proste.

– A jeśli ojciec nas zobaczy i zacznie robić problemy?

– Theo, po prostu wyluzuj. To się uda.

Było już wpół do siódmej i ciemno, kiedy Chase wysłał nowy SMS. „Siatkarki są niezłe. Gdzie jesteście?"

Theo odpowiedział: „Gdzieś w Wirginii. Ike zasuwa".

Było już ciemno, a Theo wreszcie zmogły trudy gorączkowego tygodnia. Zaczął przysypiać, aż w końcu zapadł w głęboki sen.

Rozdział 18

Pod koniec meczu siatkówki Chase uświadomił sobie, że jedynym sposobem, żeby ominąć Daphne, jest ominąć dom w ogóle. Prawie już ją widział, jak siedzi w salonie w suterenie, gapi na wielki ekran telewizora i czeka aż przyjdzie razem Theo, żeby mogła sobie zamówić superwielką pizzę od Santo.

Kiedy mecz się skończył, Chase pojechał na rowerze do Mrożonego Jogurtu Guffa, niedaleko biblioteki miejskiej przy Main Street. Zamówił jogurt bananowy, znalazł sobie wolne miejsce przy frontowym oknie i zadzwonił do domu. Daphne odebrała po pierwszym dzwonku.

– To ja – powiedział. – I słuchaj, mamy problem. Razem z Theo zajrzałem do niego do domu, żeby zobaczyć co z psem, i okazało się, że pies jest bardzo chory. Musiał się czymś zatruć. Wymiotuje i brudzi wszystko dookoła. W domu jest straszny bałagan.

– Paskudnie – rzuciła Daphne.

– Żebyś wiedziała. Psie kupy od kuchni do sypialni. Teraz sprzątamy, ale to trochę potrwa. Theo się boi, że pies zdechnie, i próbuje teraz skontaktować się z matką.

– Okropne.

– No. Możliwe że będziemy musieli go zabrać na ostry dyżur do weterynarza. Biedak ledwie chodzi.

– Chase, mogę jakoś pomóc? Mogę podjechać samochodem mamy i go zabrać.

– Może, ale nie teraz. Sprzątamy i pilnujemy psa. Boję się, że napaskudzi w samochodzie.

– Jedliście coś?

– Nie, a jedzenie to teraz ostatnia rzecz, jaką mamy w głowie. Mnie samemu chce się wymiotować. Nie krępuj się, zamów sobie pizzę. Zadzwonię później. – Odłożył słuchawkę i uśmiechnął się nad mrożonym jogurtem. Jak na razie szło nieźle.

Sędzia ciągle spał na tylnym siedzeniu, pochrapując cicho, w miarę jak przemierzali kolejne kilometry. Theo zasypiał i się budził, drzemiąc co jakiś czas. Raz szeroko otwierał oczy, a zaraz potem był dla świata prawie jak martwy. Obudził się, kiedy przekroczyli granicę stanu i znaleźli się w Karolinie Północnej, ale spał, gdy wjechali do Chapel Hill.

O dziewiątej jego SMS do matki brzmiał: „Idę spać. Ale jestem zmęczony. Buziaki".

Uznał, że rodzice są w samym środku długiej kolacji, pewnie słuchają niekończących się przemów i matka może nie mieć okazji odpisać. Nie mylił się.

– Theo, obudź się – powiedział Ike. – Jesteśmy na miejscu.

Nie zatrzymywali się od sześciu godzin. Elektroniczny zegar na tablicy rozdzielczej wskazywał dziesiątą pięć. Umieszczony wyżej GPS prowadził ich prosto na Franklin Street, główną ulicę miasta, która graniczyła z kampusem. Na chodnikach tłoczyli się hałaśliwi studenci i fani. Uniwersytet Karoliny Północnej wygrał mecz w dogrywce i wszyscy byli nabuzowani, a bary i sklepy pełne ludzi. Ike skręcił w Columbia Street, gdzie minęli kilka siedzib bractw.

– Może być problem z parkowaniem – mruknął Ike, właściwie do siebie. – To pewnie Frat Court – powiedział, zerkając na GPS i wskazując miejsce, gdzie stało naprzeciw siebie kilka akademików, a między nimi samochody. – Chyba tu gdzieś jest akademik Kappa Theta.

Kiedy jazdę spowolnił duży ruch na ulicach, Theo odsunął szybę. Powietrze wypełniła głośna muzyka, w domach zaczęło już grać kilka zespołów. Ludzie cisnęli się na gankach, na trawnikach, siedzieli w samochodach, szwendali się, tańczyli, śmiali, chodzili grupami od akademika do akademika, wrzeszczeli na siebie. Istne wariactwo. Theo jeszcze nigdy czegoś takiego nie oglądał. W Stratten College od czasu do czasu dochodziło do jakiejś bójki albo było coś z narkotykami, ale nigdy nie działo się coś takiego. Na początku wszystko go bardzo ciekawiło, ale potem pomyślał o April. Znalazła się w samym środku jednego wielkiego karnawału i wcale tu nie pasowała. Była nieśmiała, cicha i wolała być sama ze swoimi rysunkami i obrazami.

Ike skręcił w następną ulicę, potem w jeszcze jedną.

– Musimy gdzieś zaparkować i iść na piechotę.

Wszędzie stały samochody, zwykle w niedozwolonych miejscach. Zatrzymali się w ciemnej wąskiej uliczce, z dala od hałasu.

– Sędzia, zostań – powiedział Theo.

Sędzia patrzył na nich, gdy odchodzili.

– Ike, jaki mamy plan gry? – zapytał Theo. Szli szybko ciemnym i nierównym chodnikiem.

– Uważaj, jak idziesz – odparł Ike. – Nie mamy planu gry. Znajdziemy ten akademik, znajdziemy zespół, a ja już coś wymyślę.

Szli za hałasem i wkrótce weszli na Frat Court od tyłu, daleko od ulicy. Wmieszali się w tłum, a chociaż wyglądali trochę dziwnie, chyba nikt nie zwracał na

nich uwagi. Nikogo nie dziwił sześćdziesięciodwu-
latek o długich siwych włosach zebranych w kucyk,
w czerwonych skarpetkach, sandałach i brązowym
swetrze w kratę, liczącym sobie chyba ze trzydzieści
lat – i trzynastolatek, który szeroko otwierał oczy ze
zdziwienia.

Akademik Kappa Theta był wielkim białym budynkiem z kamienia, z kilkoma greckimi kolumnami
i ogromniastym gankiem. Ike i Theo przecisnęli się
przez gęsty tłum, weszli po schodach i ruszyli wokół
ganku. Ike chciał się rozejrzeć, sprawdzić wejścia,
wyjścia i spróbować się dowiedzieć, gdzie gra zespół. Muzyka była głośna, śmiech i wrzaski jeszcze
głośniejsze. Theo w całym swoim młodym życiu nie
widział tylu puszek piwa. Na ganku tańczyły dziewczyny, a ich chłopcy patrzyli, paląc papierosy.

– Gdzie jest zespół? – zapytał Ike jednej z dziewczyn.

– W piwnicy – odparła.

Powoli wycofali się do frontowych schodów i ro-
zejrzeli. Głównego wejścia pilnowało dwóch dużych
młodych mężczyzn w garniturach; jak się wydawało,
decydowali, kto wejdzie do środka.

– Idziemy – oznajmił Ike. Theo ruszył za nim
i razem z grupą studentów zbliżyli się do głównych
drzwi. Ochroniarz, a może bramkarz, kimkolwiek
tam był, wyciągnął rękę i złapał Ike'a za przedramię.

– Przepraszam bardzo! – zawołał gburowato. –
Ma pan wejściówkę?

Ike ze złością strząsnął rękę i spojrzał tak, jakby
zaraz miał go walnąć.

– Dziecko, ja nie potrzebuję wejściówki – syk-
nął. – Jestem menedżerem tej kapeli. A to mój syn.
Więcej mnie nie dotykaj.

Pozostali studenci odsunęli się o kilka kroków,
przez chwilę zrobiło się ciszej.

– Przepraszam, proszę pana – powiedział ochroniarz. Ike i Theo weszli do środka. Ike szedł szybko,
jakby doskonale znał akademik i miał tu coś do załatwienia. Przemierzyli duży hol, potem jakiś salon,
jeden i drugi napakowany studentami. Na następ-
nej otwartej przestrzeni tłum studentów wrzeszczał,
oglądając mecz na dużym ekranie. Obok mieli dwie
beczki piwa. Z dołu dudniła muzyka, Ike i Theo szybko znaleźli duże schody prowadzące do sali koncer-
towej. Na środku był parkiet taneczny pełen studentów zajętych najróżniejszymi żałosnymi podrygami
i szuraniem nogami – a po lewej zespół Włam łomo-
tał i wrzeszczał na cały regulator. Ike i Theo z wolna
popłynęli w tłum, a kiedy schodzili schodami, Theo
czuł, jak uszy pękają mu od tej muzyki.

Spróbowali schować się w kącie. W sali było
ciemno, kolorowe stroboskopy migotały na masie
ciał. Ike nachylił się i wrzasnął Theo w ucho:

– Pospieszmy się. Ja tu zostaję. Ty spróbuj dostać się za zespół i się rozejrzeć. Szybko!

Theo zanurkował między tańczących, prześlizgiwał się między ciałami. Potrącono go, popchnięto, prawie zadeptano, ale brnął dalej, wzdłuż przeciwległej ściany z lewej. Włam skończył grać jakiś kawałek. Wszyscy bili brawo, przestali na chwilę tańczyć. Theo przyspieszył, wciąż nisko pochylony, i zerkał dookoła. Nagle wokalista wrzasnął, potem zaczął wyć. Perkusista zaatakował bębny, gitarzysta szarpnął strunami w jakichś ogłuszających akordach. Następna piosenka okazała się jeszcze głośniejsza. Theo minął duże głośniki, zbliżył się na niecałe dwa metry do klawiszowca i wtedy zobaczył April siedzącą na metalowym pudle za perkusistą. Znalazła jedyne bezpieczne miejsce w całej sali. Praktycznie przeczołgał się wzdłuż krawędzi niewielkiej platformy i zanim April go zobaczyła, dotknął jej kolana.

April była zbyt zaszokowana, żeby się poruszyć, potem obiema rękoma zasłoniła usta.

– Theo! – powiedziała, ale ledwie ją słyszał.

– Chodźmy – polecił.

– Co tu robisz?! – krzyknęła.

– Jestem tu, żeby cię zabrać do domu.

O dziesiątej trzydzieści Chase schował się za pralnią chemiczną i z drugiej strony ulicy przyglądał się ludziom wychodzącym z włoskiego bistro Robilia. Zobaczył panią i pana Shepherdów, potem pana i panią Coleyów, wreszcie rodziców. Patrzył, jak odjeżdżają. Zastanawiał się, co teraz robić. Za kilka minut rozdzwoni mu się telefon, matka będzie miała z tuzin pytań. Wymawianie się chorobą psa powoli przestawało wystarczać.

Rozdział 19

Theo i April szli powoli wzdłuż ściany, omijając zmęczonych tancerzy, którzy zrobili sobie przerwę, a potem szybko przekroczyli półmrok dzielący ich od drzwi na klatkę schodową. Nie było ryzyka, żeby ojciec April ich zauważył, bo całkiem zatonął w żywiołowej włamowej wersji *I Can't Get no Satisfaction* Rolling Stonesów.

– Dokąd idziemy?! – krzyknął Theo do April.

– Drzwi prowadzą na zewnątrz! – odkrzyknęła.

– Poczekaj, muszę zabrać Ike'a.

– Kogo?

Theo pomknął przez tłum, znalazł stryja tam, gdzie go zostawił, i cała trójka szybko zeszła po schodach na niewielkie patio za budynkiem Kappa Theta. Wciąż słyszeli muzykę, ściany zdawały się drżeć, ale na zewnątrz było o wiele ciszej.

– Ike, to April – powiedział Theo. – April, to Ike, mój stryj.

– Cała przyjemność po mojej stronie – powiedział Ike. April była zbyt zmieszana, żeby powiedzieć cokolwiek. Stali sami w ciemnościach, obok połamanego stołu piknikowego. Wokół leżały porozrzucane inne meble z patio. Okna z tylnej strony budynku były powybijane.

– Ike przywiózł mnie, żebym cię zabrał – oznajmił Theo.

– Ale po co? – zapytała.

– Jak to „po co"? – odparował Theo.

Ike rozumiał zakłopotanie dziewczyny. Podszedł i delikatnie położył jej dłoń na ramieniu.

– April, w domu nikt nie wie, gdzie jesteś. Nikt nie wie, czy w ogóle żyjesz. Cztery dni temu zniknęłaś bez śladu. Nikt, łącznie z twoją matką, policją, przyjaciółmi, nie miał o tobie żadnej wiadomości.

April zaczęła kręcić głową z niedowierzaniem.

Ike mówił dalej:

– Podejrzewam, że ojciec cię okłamał. Pewnie powiedział, że rozmawiał z matką i w domu wszystko w porządku, prawda?

April nieznacznie kiwnęła głową.

– April, on kłamie. Twoja matka zamartwia się na śmierć. Całe miasto cię szuka. Czas wracać do domu, i to teraz.

– Ale my wracamy do domu już za kilka dni – odpowiedziała April.

– Tak mówi twój ojciec? – zapytał Ike, klepiąc ją po ramieniu. – Jest spora szansa, że usłyszy zarzut porwania. April, spójrz na mnie. – Podparł jej podbródek palcem i powoli uniósł tak, że nie miała innego wyboru, jak popatrzeć prosto na niego. – Czas wracać do domu. Wsiadaj do samochodu i jedziemy. Teraz.

Otworzyły się drzwi, pojawił się w nich jakiś mężczyzna. Miał motocyklowe buty, tatuaże i przetłuszczone włosy, więc z pewnością nie był studentem.

– April, co ty wyprawiasz? – rzucił.

– Robię sobie tylko przerwę – odrzekła.

Podszedł bliżej.

– Co to za jedni? – chciał wiedzieć.

– A kim ty jesteś? – odparował Ike.

Włam był teraz w samym środku piosenki, więc z pewnością nie był z zespołu.

– To Zack – odparła April. – Pracuje dla kapeli.

Ike od razu spostrzegł niebezpieczeństwo i stawił mu czoło zmyśloną historyjką. Wyciągnął energicznie rękę.

– Nazywam się Jack Ford – oznajmił. – To mój syn, Max. Mieszkaliśmy kiedyś w Strattenburgu, teraz mieszkamy w Chapel Hill. Max i April chodzili razem do przedszkola. Macie niezły zespół.

Zack uścisnął mu rękę. Był zbyt powolny, aby szybko kombinować. Skrzywił się, jakby myślenie bolało, a potem ze zdziwieniem spojrzał na Ike'a i Theo.

– Już prawie kończymy – powiedziała April. – Jeszcze tylko chwilka.

– Twój tata ich zna? – spytał Zack.

– No jasne – rzucił Ike. – Tom i ja znamy się od lat. Zack, jeśli pozwolisz, chętnie bym z nim pogadał, jak będzie następna przerwa.

– Chyba w porządku – stwierdził Zack i wszedł do środka.

– Powie twojemu ojcu? – zapytał Ike.

– Pewnie tak – odparła April.

– April, więc powinniśmy iść.

– Nie wiem.

– No chodź, April – oznajmił Theo stanowczo.

– Ufasz Theo? – zapytał Ike.

– Jasne.

– To możesz zaufać Ike'owi – stwierdził Theo. – Chodźmy.

Theo złapał ją za rękę i zaczęli się szybko oddalać od akademika Kappa Theta, od Frat Court i od Toma Finnemore'a.

April usiadła na tylnym siedzeniu, razem z Sędzią, i drapała go po głowie, a Ike z trudem wyjeżdżał z zatłoczonego Chapel Hill.

Theo przez kilka chwil milczał, potem zapytał:

– Powinniśmy chyba zadzwonić do Chase'a?

– Tak – odparł Ike.

Wjechali na całodobową stację benzynową i zaparkowali z dala od dystrybutorów.

– Wybierz jego numer – polecił Ike.

Theo tak zrobił i podał aparat Ike'owi.

Chase odebrał od razu.

– Najwyższa pora.

– Chase, tu Ike. Mamy April, wracamy. Gdzie jesteś?

– Chowam się za domem. Rodzice mnie zabiją.

– Idź do domu i powiedz im prawdę. Zadzwonię do nich, tak za mniej więcej dziesięć minut.

– Dzięki, Ike.

Ike wręczył aparat Theo i zapytał:

– Które z twoich rodziców najprawdopodobniej odbierze komórkę tak późno?

– Mama.

– To zadzwoń do niej.

Theo wystukał numer i wręczył komórkę Ike'owi.

Odebrała zdenerwowana pani Boone.

– Theo, o co chodzi?

Ike spokojnie oznajmił:

– Marcella, tu Ike. Co u ciebie?

– Ike? Z telefonu Theo? Ciekawe, dlaczego nagle zaczęłam się martwić?

– Marcello, to bardzo długa historia, ale nikomu nic się nie stało. Wszystko w porządku, a zakończenie jest szczęśliwe.

– Ike, proszę cię. Co się dzieje?

– Mamy April.

– Co macie?

– Mamy April i jedziemy z powrotem do Strattenburga.

– Ike, gdzie ty jesteś?

– W Chapel Hill, w Karolinie Północnej.

– Mów dalej.

– Theo ją znalazł i ruszyliśmy po nią na małą wyprawę. Cały czas była z ojcem, kręcili się tu i tam.

– Theo znalazł April w Chapel Hill? – z wolna powtórzyła pani Boone.

– No tak. Jak mówiłem, to długa historia i później opowiemy szczegóły. Wcześnie rano będziemy w domu. Tak myślę, że między szóstą a siódmą. To znaczy pod warunkiem że uda mi się nie spać całą noc i prowadzić.

– Jej matka wie?

– Jeszcze nie. Myślę, że powinnaś do niej zadzwonić.

– Dobra, Ike. Im prędzej, tym lepiej. Pozałatwiamy tutaj wszystko i wracamy do domu. Będziemy na miejscu, jak dojedziesz.

– Świetnie, Marcella. I na pewno będziemy umierali z głodu.

– Rozumiem, Ike.

Podawali sobie telefon z rąk do rąk. Ike rozmawiał z panią Whipple. Wyjaśnił, co się dzieje, zapewnił, że wszystko w porządku, nie szczędził pochwał Chase'owi za pomoc w odnalezieniu April, przepraszał za oszustwo i zamieszanie, i obiecywał, że się jeszcze odezwie.

Ike podjechał do dystrybutorów, napełnił bak, a kiedy wszedł do środka, żeby zapłacić, Theo zabrał Sędziego na krótki spacer. Gdy znowu byli w drodze, Ike odezwał się przez ramię:

– April, chcesz zadzwonić do matki?

– Chyba tak – powiedziała.

Theo wręczył jej komórkę. Próbowała zatelefonować do domu, ale nie było odpowiedzi. Próbowała dodzwonić się na komórkę matki, ale nikt nie odbierał.

– Co za niespodzianka – stwierdziła April. – Nie ma jej.

Rozdział 20

Ike wziął sobie duży kubek kawy i wypił go jednym haustem, żeby nie zasnąć. Zaledwie kilka kilometrów za miastem powiedział:

– Dobra dzieciaki, sprawa jest taka. Już północ, przed nami jeszcze długa trasa, a mnie się chce spać. Rozmawiajcie ze mną. Chcę gadać. Jeśli zasnę za kółkiem, to wszyscy zginiemy. Zrozumiano? Dobra, Theo. Teraz ty mówisz, a potem April, na zmianę.

Theo odwrócił się i spojrzał na April.

– Kim jest Jack Leeper?

April trzymała na kolanach łeb Sędziego.

– To chyba jakiś daleki kuzyn – odpowiedziała. – A co? Kto wam o nim powiedział?

– Teraz jest w Strattenburgu, w areszcie. Z tydzień temu uciekł z więzienia w Kalifornii i niespodziewanie pojawił się w mieście, mniej więcej wtedy gdy zniknęłaś.

– Jego twarz jest we wszystkich gazetach – powiedział Ike.

– Policja myśli, że cię porwał i zabrał – dodał Theo.

Na zmianę, od początku do końca i od końca do początku, opowiedzieli historię Leepera. O jego policyjnych zdjęciach na pierwszej stronie gazety, o dramatycznym zatrzymaniu przez antyterrorystów, niejasnych pogróżkach związanych z ukryciem zwłok April i tak dalej. Wydawało się, że do April, przytłoczonej wydarzeniami ostatniej godziny, kompletnie to wszystko nie dociera.

– Nigdy go nie spotkałam – powtarzała szeptem.

Ike przełknął kawę.

– W gazecie napisali, że wysyłałaś do niego listy. Korespondowaliście ze sobą. To prawda?

– Tak. Zaczęliśmy pisać tak z rok temu. Mama powiedziała, że jesteśmy bardzo dalekimi kuzynami, chociaż nigdy nie mogłam go znaleźć na naszym drzewie genealogicznym. To nie jest normalne drzewo genealogiczne. Tak czy tak, powiedziała, że odsiaduje długi wyrok w Kalifornii i chciałby z kimś korespondować. Napisałam do niego, odpisał. To była tylko taka zabawa. Wydawał się bardzo samotny.

– Po tym jak uciekł, znaleziono u niego w celi wszystkie twoje listy – powiedział Ike. – Widziano go w Strattenburgu, więc policja uznała, że zjawił się po ciebie.

– Nie mogę w to uwierzyć – odparła. – Ojciec powiedział, że rozmawiał z mamą i rozmawiał z ludźmi w szkole, i że wszyscy się zgodzili, żebym wyjechała z nim tak na tydzień. Że nie ma problemu. Powinnam być mądrzejsza.

– Twój ojciec musi być niezłym kłamcą.

– Jest jednym z najlepszych – stwierdziła April. – Jeszcze nigdy mi nie powiedział prawdy. Nie wiem, dlaczego teraz mu uwierzyłam.

– Byłaś przestraszona – odparł Theo.

– O Boże! – krzyknęła. – Już prawie północ. Kończą grać. Co się stanie, jak zobaczy, że mnie nie ma?

– Przekona się na własnej skórze, jak to miło – stwierdził Ike.

– Mamy do niego zadzwonić? – zapytał Theo,

– Nie ma komórki – odrzekła April. – Mówi, że wtedy ludzie by go za łatwo znajdowali. Powinnam zostawić mu jakąś kartkę czy coś.

Zastanawiali się nad tym jeszcze przez kilka kilometrów. Ike wydawał się odświeżony i w ogóle nie senny. April mówiła teraz mocniejszym głosem, wychodziła z szoku.

– A co z tym dziwnym Zackiem? – zapytał Theo. – Możemy do niego zadzwonić?

– Nie znam jego numeru.

– A jak ma na nazwisko?

– Też nie wiem. Starałam się trzymać od Zacka z daleka.

Przejechali następne kilometry. Ike wypił trochę kawy.

– Wiecie, co się stanie? – powiedział. – Kiedy nie będą cię mogli znaleźć, Zack opowie, jak nas z tobą widział. Będzie sobie próbował przypomnieć nasze nazwiska: Jack i Max Ford, kiedyś ze Strattenburga, teraz mieszkają w Chapel Hill, a jeśli mu się uda, to się zaczną kręcić w kółko, szukając naszego numeru telefonu. Jak nie będą mogli nas znaleźć, uznają, że pewnie jesteś u nas w domu. Tak jak wtedy, kiedy starzy przyjaciele spotykają się po latach.

– Naciągane – stwierdziła April.

– Najlepsze, co mogę wymyślić.

– Powinnam zostawić wiadomość.

– Naprawdę tak się martwisz o ojca? – zapytał Theo. – Popatrz, co zrobił. Zabrał cię w środku nocy, nikomu nic nie powiedział i przez ostatnie cztery dni całe miasto się o ciebie zamartwiało. Twoja biedna matka wariuje z niepokoju. April, niezbyt mu współczuję.

– Nigdy go nie lubiłam – odparła. – Ale powinnam zostawić wiadomość.

– Już za późno – stwierdził Ike.

– W czwartek znaleźli jakieś ciało – mówił Theo – i całe miasto myślało, że już nie żyjesz.

– Ciało? – zapytała.

Ike spojrzał na Theo, Theo spojrzał na Ike'a, a potem opowiadali dalej. Theo zaczął mówić, jak jego ekipa przeczesywała Strattenburg, rozdawała ulotki, oferowała nagrodę, kręciła się za pustymi budynkami, unikała policji, aż wreszcie z drugiego brzegu rzeki oglądała policję wyciągającą kogoś z Yancey. Ike, tu i tam, dodał kilka szczegółów.

– April, myśleliśmy, że nie żyjesz – powiedział Theo. – Że pływałaś w rzece wrzucona przez Jacka Leepera. Pani Gladwell zebrała nas w auli i próbowała jakoś pocieszyć, ale byliśmy pewni, że nie żyjesz.

– Tak mi przykro.

– To nie twoja wina – odezwał się Ike. – Miej pretensje do ojca.

Theo rozejrzał się i popatrzył na April.

– April, naprawdę dobrze cię widzieć.

Ike uśmiechnął się do siebie. Kubek miał już pusty. Opuścili Karolinę Północną, wjechali do Wirginii i Ike zatrzymał się na następną kawę.

Kilka minut po drugiej nad ranem komórka Ike'a zawibrowała. Wyłowił ją z kieszeni i powiedział: „cześć". Dzwonił brat, Woods Boone, chciał pogadać. Razem z panią Boone właśnie wrócił do domu w Strattenburgu, teraz chcieli wiadomości o wyprawie. Oba dzieciaki spały. Pies też. Ike mówił cicho. Jechało im się dobrze. Na ulicach nie było dużego ruchu, nie było złej pogody i na razie nie było radarów. Jak łatwo przewidzieć, rodziców Theo niesamowicie wręcz ciekawiło, w jaki sposób syn znalazł April. Marcella podniosła drugą słuchawkę, a Ike opowiedział, że Theo i Chase Whipple bawili się w detektywów, tropiąc zespół – z niewielką pomocą Ike'a – a potem na chybił trafił przejrzeli tysiące zdjęć z Facebooka i wreszcie dopisało im szczęście. Kiedy już się upewnili, że zespół jest w tamtej okolicy, zaczęli dzwonić po studenckich bractwach, aż znowu dopisało im szczęście.

Ike zapewnił, że April nic nie jest. Przekazał podaną przez April wersję wydarzeń, razem ze wszystkimi kłamstwami, których naopowiadał jej ojciec.

Rodzice Theo w dalszym ciągu nie dowierzali, ale byli też rozbawieni. Tak naprawdę wcale ich nie zaskoczyło, że Theo nie tylko znalazł April, ale że i po nią pojechał.

Kiedy Ike skończył rozmowę, przesunął się, próbując rozprostować prawą nogę. Powiercił się na fotelu, a potem, nagle, o mało nie zasnął.

– No i masz! – zawołał. – Wstawać mi tu! – Trącił Theo w ramię, potarmosił mu włosy i oznajmił na cały głos: – O mało nie zjechałem z drogi. Chcecie zginąć? Nie! Theo, obudź się i rozmawiaj ze mną. April, teraz twoja kolej. Opowiedz nam o wszystkim.

April przetarła oczy, usiłując się dobudzić i zrozumieć, dlaczego ten zwariowany facet na nią krzyczy. Nawet Sędzia wyglądał na zakłopotanego.

W tej właśnie chwili Ike nacisnął hamulce i zatrzymał się gwałtownie na poboczu. Wyskoczył z SUV-a i przebiegł wokół niego trzy razy. Obok, trąbiąc, przewaliła się z rykiem osiemnastokołowa ciężarówka. Ike wsiadł, zapiął pas i ruszyli.

– April – powiedział głośno. – Mów do mnie. Chcę się dokładnie dowiedzieć, co się stało, jak wyjechałaś z ojcem.

– Jasne, Ike – odparła, bojąc się nie opowiadać. – Spałam – zaczęła.

– We wtorek wieczór czy w środę rano? – zapytał Ike. – Która była godzina?

– Nie wiem. To było po północy, bo o północy wciąż jeszcze nie spałam. Potem zasnęłam.

– Mamy nie było? – zapytał Theo.

– Nie, nie było. Rozmawiałam przez telefon, czekałam i czekałam, aż przyjdzie do domu, a potem zasnęłam. Ktoś się dobijał do drzwi. Najpierw pomysłałam, że coś mi się śni, jeszcze jeden koszmar, ale potem sobie uświadomiłam, że jednak nie, i to było jeszcze straszniejsze. Ktoś był w domu, jakiś mężczyzna. Dobijał się do drzwi i wołał mnie po imieniu. Byłam taka przerażona, że nie mogłam o niczym myśleć, nie mogłam patrzeć, nie mogłam się ruszyć. Wtedy sobie uświadomiłam, że to ojciec. Przyszedł do domu, pierwszy raz od tygodnia. Otworzyłam drzwi. Zapytał, gdzie jest mama. Powiedziałam, że nie wiem. Nie była w domu przez ostatnie dwie czy trzy noce. Zaczął kląć, kazał mi się przebrać. Powiedział, że wyjeżdżamy. Szybko. I wyjechaliśmy. Kiedy prowadził, myślałam sobie: lepiej odejść, niż zostać. Wolałam już być w aucie z ojcem niż całkiem sama w domu.

Przerwała na chwilę. Ike był całkiem przytomny, Theo też. Obaj chcieli się obejrzeć za siebie i sprawdzić, czy April płacze, ale się nie obejrzeli.

– Jechaliśmy długo, może ze dwie godziny. Chyba byliśmy już blisko dystryktu Kolumbia, kiedy zatrzymaliśmy się w jakimś motelu, niedaleko międzystanowej. Nocowaliśmy tam, w jednym pokoju. Kiedy się obudziłam, ojca nie było. Czekałam. Wrócił z mufinkami z jajkiem i z sokiem pomarańczowym. Kiedy jedliśmy, powiedział, że znalazł mamę, długo z nią rozmawiał i się zgodzili, że będzie dla mnie lepiej, jak pobędę z nim przez kilka dni. Tydzień, może dłużej. Z tego co mówił, przyznała się, że ma jakieś problemy i potrzebuje pomocy. Powiedział, że rozmawiał z dyrektorką szkoły i ona powiedziała, że to rozsądne, żebym teraz pobyła z dala od domu. Kiedy wrócę, to jak będzie trzeba, pomoże mi dodatkowymi lekcjami. Zapytałam, jak się nazywa dyrektorka, i oczywiście nie wiedział. Pamiętam, że pomyślałam sobie, że to dziwne, ale z drugiej strony, u mojego ojca nie byłoby niczym niezwykłym, gdyby zapomniał nazwisko w dziesięć sekund po rozmowie.

Theo zerknął za siebie. April patrzyła w boczną szybę niewidzącym wzrokiem. Mówiła spokojnie, z dziwnym uśmiechem.

– Wyjechaliśmy z motelu i pojechaliśmy do Charlottesville w Wirginii. Tamtej nocy, to chyba była środa, grali w jakimś takim miejscu, nazywało się U Millera. To taki stary bar, kiedyś był sławny, bo tam zaczynał Dave Matthews Band.

– Uwielbiam ich – powiedział Theo.

– Są w porządku – oznajmił Ike, rozsądny głos starszego pokolenia.

– Ojciec myślał, że bardzo fajnie jest grać U Millera.

– Jak weszłaś do baru, skoro masz trzynaście lat? – zapytał Theo.

– Nie wiem. Byłam z zespołem. To nie tak, że piłam i paliłam. Następnego dnia pojechaliśmy do innego miasta, może to było Roanoke, tam grali w pustym domu, w starym teatrze muzycznym. Jaki to był dzień?

– Czwartek – powiedział Ike.

– Potem pojechaliśmy do Raleigh.

– Byłaś w furgonetce z zespołem? – zapytał Ike.

– Nie. Ojciec miał swój samochód, tak jak jeszcze dwóch facetów. Zawsze jechaliśmy za furgonetką. Zack był kierowcą i pomagał przy zespole. Ojciec trzymał mnie z dala od reszty. Ci faceci kłócili się i sprzeczali gorzej niż banda dzieciaków.

– A narkotyki? – zapytał Ike.

– Tak, i alkohol, i dziewczyny. To głupio i trochę smutno patrzeć na czterdziestolatków, jak próbują się popisywać przed dziewczynami z college'u. Ale ojciec taki nie był. Zachowywał się zdecydowanie najlepiej.

– To dlatego, że był z tobą – zauważył Ike.

– Pewnie tak.

– Ike, a może zjazd do boksu? – odezwał się Theo, wskazując tłok przy wyjeździe.

– Jasne, muszę się jeszcze napić kawy.

– Dokąd pojedziemy, jak już będziemy w Strattenburgu? – zapytała April.

– A gdzie chcesz iść? – zapytał Ike.

– Tak nie do końca wiem, czy chcę wracać do domu – odparła.

– Idź do Theo. Jego matka próbuje znaleźć twoją matkę. Pewnie już tam będzie i bardzo się ucieszy na twój widok.

Rozdział 21

Kiedy Ike dziesięć po szóstej rano w niedzielę wjeżdżał na podjazd domu Boone'ów, stało tam kilka dodatkowych samochodów. Stary spitfire był dokładnie tam, gdzie go zostawił. Obok zaparkowano czarnego sedana, który wyglądał bardzo oficjalnie. A za spitfire'em stanął najdziwniejszy samochód w mieście – jaskrawożółty karawan, kiedyś własność domu pogrzebowego, a teraz May Finnemore.

– Jest tutaj – stwierdziła April.

Ani Ike, ani Theo nie potrafili powiedzieć, czy się cieszy, czy nie.

Kiedy zaparkowali, było jeszcze ciemno. Sędzia wyskoczył z samochodu i pobiegł do krzaków ostrokrzewu przy ganku, żeby sobie ulżyć. Gwałtownie otwarto drzwi wejściowe i wyskoczyła May Finnemore, już od progu płacząc i wyciągając ręce do córki. Dłuższy czas obejmowały się pod domem, a Ike, Theo i Sędzia spokojnie weszli do środka. Theo uściskała matka, a potem przywitał się z detektywem Slaterem, którego najwyraźniej zaproszono na tę imprezę. Już po tych wszystkich powitaniach i gratulacjach Theo zapytał matkę:

– Gdzie znaleźliście panią Finnemore?

– Była w domu u sąsiadów – odparł detektyw Slater. – Wiedziałem o tym. Za bardzo się martwiła, żeby zostawać sama w domu.

A co z zostawianiem April samej w domu? – niemal palnął Theo.

– Tom Finnemore się odzywał? – zapytał Ike. – Wyjeżdżaliśmy w pośpiechu i nie zostawiliśmy żadnej wiadomości.

– Nie – odparł detektyw.

– Żadna niespodzianka.

– Musisz być wykończony – zauważyła pani Boone.

Ike się uśmiechnął.

– No, tak szczerze mówiąc, odpowiedź brzmi „tak". I dosyć głodny. Theo i ja właśnie spędziliśmy czternaście godzin w drodze, niewiele jedząc i nie śpiąc, przynajmniej jeśli o mnie chodzi. Bo Theo i April udało się trochę zdrzemnąć. A pies spał na okrągło. Co na śniadanie?

– Wszystko – odparła pani Boone.

– Theo, jak ją znalazłeś? – zapytał pan Boone, nie potrafiąc ukryć dumy.

– Tato, to długa historia, a najpierw muszę do łazienki. – Theo zniknął, a otworzyły się drzwi frontowe. Weszły pani Finnemore i April, obie zapłakane, obie uśmiechnięte. Pani Boone nie potrafiła się powstrzymać i mocno uściskała April.

– Tak się cieszymy, że wróciłaś – powiedziała.

Detektyw Slater przedstawił się April, która była wyczerpana, zaniepokojona i trochę zakłopotana, że zwraca na siebie powszechną uwagę

– Dziecko, wspaniale jest cię widzieć – oznajmił Slater.

– Dziękuję – odparła cicho April.

– Słuchajcie, możemy sobie porozmawiać jeszcze później – odezwał się detektyw, odwracając do pani Finnemore. – Ale teraz muszę spędzić z nią pięć minut.

– To nie może poczekać? – zapytała pani Boone, podchodząc krok do April.

– Oczywiście że może, pani Boone. Poza jedną drobną sprawą, którą muszę wyjaśnić już teraz. Potem sobie pójdę i zostawię was samych.

– Detektywie, nikt nie chce, żeby pan sobie szedł – odezwał się pan Boone.

– Rozumiem. Proszę dać mi pięć minut.

Wrócił Theo, Boone'owie wyszli z salonu i ruszyli do kuchni, gdzie w powietrzu unosił się już mocny zapach kiełbasek. Pani Finnemore i April usiadły na sofie, a detektyw przysunął sobie do nich krzesło.

Mówił cicho.

– April, wszyscy bardzo się cieszymy, że wróciłaś do domu cała i zdrowa. Szukamy możliwości, by postawić zarzuty porwania. Rozmawiałem o tym z twoją matką i muszę zadać ci kilka pytań.

– Dobrze – odparła nieśmiało.

– Po pierwsze, kiedy wyszłaś z ojcem, zrobiłaś to z własnej woli? Czy może zmusił cię, żebyś wyszła?

April wydawała się oszołomiona. Zerknęła na matkę, ale matka gapiła się na swoje buty.

– Zarzut uprowadzenia – ciągnął Slater – wymaga dowodu na to, że ofiarę zmuszono do wyjścia wbrew jej woli.

April powoli pokręciła głową.

– Nie zmuszano mnie do wyjścia. Sama chciałam wyjść. Bardzo się bałam.

Slater wziął głęboki oddech i spojrzał na May, która wciąż unikała jego wzroku.

– W porządku – powiedział. – Drugie pytanie. Czy byłaś przetrzymywana wbrew własnej woli? Czy przez cały czas chciałaś odejść, ale powiedziano ci, że nie możesz tego zrobić? W przypadku porwania

zdarzają się takie rzadkie sytuacje, że ofiara wychodzi bez sprzeciwu, bez przymusu, w pewnym sen-
sie dobrowolnie, ale wraz z upływem czasu zmienia
zdanie i chce wracać do domu. Ale porywacz jej nie
pozwala. To się wtedy staje porwaniem. Czy coś takiego się przydarzyło?

April skrzyżowała ramiona i zacisnęła zęby.

– Nie. Coś takiego ze mną się nie stało. Ojciec
przez cały czas kłamał. Przekonał mnie, że jest
w kontakcie z mamą, że tutaj wszystko w porządku
i że wrócimy do domu. W końcu. Nie mówił kiedy,
ale to miało być niedługo. Nigdy nie pomyślałam, żeby uciekać, ale na pewno bym mogła. Nikt mnie nie
pilnował, nigdzie nie zamykał.

Kolejny głęboki oddech detektywa. Sprawa
wciąż wyślizgiwała mu się z rąk.

– Jeszcze ostatnie pytanie – kontynuował. – Czy
w jakikolwiek sposób cię skrzywdzono?

– Mój ojciec? Nie. Może to jest kłamca, dziwak
i kiepski ojciec, ale nigdy by mnie nie skrzywdził
i nikomu by na to nie pozwolił. Nigdy nie czułam
się zagrożona. Czułam się samotna i przestraszona,
ale to dla mnie nic nowego, nawet w Strattenburgu.

– April – łagodnie powiedziała pani Finnemore.

Detektyw Slater wstał.

– To nie sprawa kryminalna – oznajmił. – Tym
powinien się zająć sąd cywilny.

Wszedł do kuchni, podziękował wszystkim zgromadzonym tam Boone'om i wyszedł. Kiedy go już nie było, April z matką dołączyły do Boone'ów siedzących przy stole kuchennym i solidnym śniadaniu złożonym z kiełbasek, naleśników i jajecznicy. Rozłożono talerze, życzono smacznego, każdy zjadł po kęsie czy dwóch. Wreszcie odezwał się Ike:

– Slater nie mógł się doczekać, żeby stąd wyjść, bo czuł się bardzo zmieszany. Policja spędziła cztery dni, bawiąc się w gierki z Leeperem. Theo załatwił sprawę w mniej więcej dwie godziny.

– Theo, jak to zrobiłeś? – dopytywał się ojciec. – I chcę znać szczegóły.

– Posłuchajmy – wtrąciła się matka.

Theo przełknął trochę jajecznicy i się rozejrzał. Wszyscy na niego patrzyli. Uśmiechnął się, najpierw cwaniackim uśmieszkiem, a potem zalśnił od ucha do ucha ortodontycznym metalem, od razu zarażając wesołością. April, której już zdjęto aparat, błysnęła pięknym uśmiechem.

Theo nie mógł się powstrzymać i wybuchnął śmiechem.

Detektyw Slater pojechał prosto do aresztu, gdzie spotkał detektywa Capshawa. Razem zaczekali w małym pokoju widzeń, a Jacka Leepera gwałtownie obudzono i zakuto w kajdanki. Praktycznie powleczono go korytarzem, w pomarańczowym kombinezonie i pomarańczowych gumowych butach. Dwóch strażników doholowało go do pokoju i usadziło na metalowym krześle. Nie zdjęto mu kajdanek.

Leeper, nieogolony, z wciąż zapuchniętymi oczami, spojrzał na Slatera i Capshawa.

– Dzień dobry – powiedział. – Strasznie wcześnie wstajecie.

– Leeper, gdzie dziewczyna? – ryknął Slater.

– No, no, czyli że wracacie do tematu. Chłopaki, tym razem już jesteście gotowi na układ?

– Tak, Leeper. Mamy dla ciebie układ, naprawdę dobry układ. Ale najpierw nam powiesz, jak daleko stąd jest dziewczyna. Daj nam tylko jakieś rozeznanie. Pięć kilometrów, pięćdziesiąt, pięćset?

Leeper uśmiechnął się. Potarł zarost rękawem, wyszczerzył i odparł:

– Jest ze sto pięćdziesiąt kilometrów stąd.

Slater i Capshaw się roześmiali.

– Powiedziałem coś śmiesznego?

– Leeper, ale z ciebie kłamliwy żul – stwierdził Slater. – Będziesz chyba kłamał aż do grobowej deski.

Capshaw zrobił krok do przodu i oznajmił:

– Leeper, dziewczyna jest w domu, ze swoją mamusią. Wygląda na to, że wybyła z ojcem i kilka dni spędziła w trasie. Teraz wróciła cała i zdrowa. Dzięki Bogu nigdy cię nie spotkała.

– Leeper, chcesz układu? – zapytał Slater. – No to masz układ. Tutaj rezygnujemy ze wszystkich zarzutów i szybko załatwiamy wysłanie cię do Kalifornii. Rozmawialiśmy z nimi i już przygotowali ci tam specjalne miejsce, jako uciekinierowi. Maksymalny poziom bezpieczeństwa. Już nigdy nie zobaczysz dziennego światła.

Leeper otworzył usta, ale nie padły z nich żadne słowa.

– Zabrać go – powiedział Slater do strażników.

I wyszedł razem z Capshawem.

O dziewiątej, w niedzielny poranek, strattenburska policja wygłosiła oświadczenie dla prasy.

„Dzisiaj około godziny szóstej rano April Finnemore wróciła do Strattenburga, do swojej matki. Jest bezpieczna, zdrowa, w dobrym nastroju i w żaden sposób nie ucierpiała. Kontynuujemy dochodzenie w tej sprawie, tak szybko jak tylko możliwe i przesłuchamy jej ojca, Toma Finnemore'a".

Informację natychmiast przekazały radio i telewizja. Z hukiem przemknęła Internetem. Została ogłoszona w dziesiątkach kościołów, wywołała aplauz i dziękczynne modły.

Całe miasto odetchnęło, uśmiechnęło się i podziękowało Bogu za cud.

April wszystko ominęło. Spała głęboko, w małym pokoju, gdzie Boone'owie czasem przyjmowali gości. Nie chciała iść do domu, przynajmniej przez kilka godzin. Jakaś sąsiadka zadzwoniła do May Finnemore, powiedziała, że ich dom oblegli dziennikarze i rozsądniej teraz trzymać się od niego z daleka, czekać, aż tłum się rozejdzie. Woods Boone zaproponował, żeby pani Finnemore schowała u nich w garażu swój dziwaczny samochód. Inaczej ktoś mógłby go zauważyć i od razu się dowiedzieć, gdzie ukrywa się April.

Theo i Sędzia ucięli sobie długą drzemkę w ich sypialni na piętrze.

Rozdział 22

Kiedy uczniowie gimnazjum w Strattenburgu przyszli w poniedziałek na lekcje, spodziewali się, że coś się będzie działo. To nie miał być zwyczajny poniedziałek. Kiedy April zaginęła, nad szkołą zawisła ciemna chmura, a teraz zniknęła. Zaledwie kilka dni wcześniej wszyscy uznali, że April nie żyje. Teraz wróciła, i to nie tylko ją odnaleziono, ale w dodatku uratował ją jeden z nich. Śmiała wyprawa Theo do Chapel Hill, żeby wyrwać przyjaciółkę z niewoli u ojca, prędko obrosła legendą.

Kiedy przyszli, nie poczuli się rozczarowani. Przed świtem wokół szerokiego, okrągłego podjazdu przy wejściu do szkoły zaparkowało tu i tam kilka telewizyjnych furgonetek. Wszędzie kręcili się dziennikarze i fotografowie, czekając na strzęp czegokolwiek. Pani Gladwell zdenerwowała się i zadzwoniła na policję. Wywiązała się kłótnia, obie strony rzucały wściekłe słowa i straszyły aresztowaniem. Policja usunęła w końcu tłum z terenu szkoły, kamery ustawiano więc po drugiej stronie ulicy. Wtedy zaczęły zjawiać się gimbusy z uczniami, którzy obejrzeli awantury.

Piętnaście po ósmej zadźwięczał dzwonek na godzinę wychowawczą, ale wciąż nie było śladu Theo i April. Na lekcji pana Mounta Chase Whipple opowiedział klasie o swoim udziale w poszukiwaniach i ratowaniu April. Wszyscy słuchali z rozdziawionymi ustami. Theo na swojej stronie na Facebooku opisał pokrótce, co się działo, i bardzo chwalił Chase'a.

O ósmej trzydzieści pani Gladwell znowu wezwała wszystkich ósmoklasistów do auli. Tym razem atmosfera wyraźnie różniła się od ostatniego spotkania. Teraz byli weseli, roześmiani i nie mogli się doczekać, aż zobaczą April i zapomną o wszystkim. Theo i April zakradli się na tyły szkoły, w pobliże stołówki, gdzie spotkali się z panem Mountem. Razem poszli do auli, gdzie otoczył ich tłum kolegów, a nauczyciele uściskali.

April była zdenerwowana i najwyraźniej niezbyt jej było dobrze, że zwraca na siebie taką uwagę.

Ale Theo miał swoje pięć minut.

Później tego ranka do sądu rodzinnego przyszła Marcella Boone, żeby złożyć podanie o wyznaczenie tymczasowego opiekuna prawnego dla April Finnemore. Takie podanie mógł wystosować każdy, kto martwił się o bezpieczeństwo i sytuację jakiegokolwiek dziecka. Nie wymagano, żeby informowano o tym samo dziecko lub jego rodziców, jednak żeby wydział rodzinny wyznaczył tymczasowego opiekuna, musiał mieć ku temu dobre powody.

Sędzia był tęgim mężczyzną z kręconymi siwymi włosami, z białą brodą i pyzatymi różowymi policzkami. Przypominał Świętego Mikołaja. Nazywał się Jolly, „wesołek", jednak pomimo takiego nazwiska był bardzo pobożny i surowy. Przez to i przez jego wygląd w całym mieście nazywano go za plecami „Święty Mikuś".

Siedząc za stołem, obejrzał podanie pani Boone, a następnie zapytał:

– Wiadomo coś o Tomie Finnemorze?

Pani Boone połowę życia zawodowego spędziła w wydziale rodzinnym i świetnie znała Świętego Mikusia.

– Powiedziano mi – odparła – że zeszłego wieczoru dzwonił do żony i po raz pierwszy od tygodni ze sobą rozmawiali. Przypuszczalnie dzisiaj po południu wróci do domu.

– Wobec niego nie są spodziewane żadne zarzuty kryminalne?

– Policja traktuje to jak sprawę cywilną, a nie karną.

– Czy pani poleca kogoś, kto powinien zostać wyznaczony na tymczasowego opiekuna?

– Tak.

– Kogo?

– Siebie.

– Prosi pani, żeby to panią wyznaczono?

– Zgadza się, panie sędzio. Bardzo dobrze znam tę sytuację. Znam to dziecko, jej matkę i w znacznie mniejszym stopniu jej ojca. Bardzo mnie martwi to, co może się stać z April, i chciałabym zostać jej tymczasowym opiekunem, bez wynagrodzenia.

– Pani Boone, to dla wszystkich dobry układ – odparł Święty Mikuś z rzadkim jak na siebie uśmiechem. – Zostaje więc pani wyznaczona. Co pani zamierza?

– Chciałabym natychmiastowego przesłuchania przed tym sądem, tak szybko jak to możliwe. Po to, żeby ustalić, gdzie April powinna mieszkać przez następnych kilka dni.

– Załatwione. Kiedy?

– Tak szybko, jak to tylko możliwe, panie sędzio. Jeśli pan Finnemore wróci dzisiaj, dopilnuję, żeby został natychmiast powiadomiony o rozprawie.

– Może być jutro o dziewiątej?

– Doskonale.

Tom Finnemore przyjechał do domu późnym poniedziałkowym popołudniem. Skończyła się trasa Włam, skończył się i sam Włam. Jego członkowie przez dwa tygodnie kłócili się prawie na okrągło i niewiele zarobili. I uważali, że Tom wciągnął ich w swoje rodzinne kłopoty, zabierając córkę z domu i wożąc ją ze sobą. April to jedno z wielu spraw, o które się handryczyli. Ich największym problemem było, że wszyscy byli facetami w średnim wieku i zrobili się za starzy, żeby grać za orzeszki po barach i akademikach.

W domu Tom spotkał się z żoną, która mówiła niewiele, i z córką, która mówiła jeszcze mniej. Obie murem stanęły przeciwko niemu. Ale Tom czuł się zbyt zmęczony, żeby się kłócić. Poszedł do sutereny i zamknął drzwi. Godzinę później zjawił się zastępca szeryfa i wręczył mu wezwanie do sądu. Od razu na rano.

ROZDZIAŁ 23

Po kilku godzinach nerwowych negocjacji ustalono wreszcie, że w środę rano Theo zamiast do szkoły będzie mógł iść do sądu. Najpierw rodzice oznajmili, że nie ma mowy. Ale stało się jasne, że Theo nie zamierza odpuścić. April była jego przyjaciółką. Wiedział mnóstwo o jej rodzinie. W gruncie rzeczy to on ją uratował, o czym nie omieszkał parę razy im przypomnieć. Mogła potrzebować jego wsparcia, i tak dalej. Państwo Boone wreszcie się zmęczyli i powiedzieli „tak". Ojciec jednak zapowiedział, że ma odrobić lekcje, a matka, że nie wolno mu wchodzić do sali rozpraw. W sądzie rodzinnym rozprawy dotyczące dzieci zawsze odbywały się za zamkniętymi drzwiami.

Theo wymyślił sobie sposób, jak to wszystko obejść, i plan awaryjny na wypadek, gdyby Święty Mikuś wyrzucił go z sali.

Wyrzucono go dosyć szybko.

W sądzie rodzinnym wszystkie sprawy rozpatrywało tylko dwoje sędziów – albo Święty Mikuś, albo Judy Ping (nazwana Ping-Pong, też za plecami; większość sędziów sądu hrabstwa Stratten miała jakieś przezwisko). Nie było ławy przysięgłych, a widzów bardzo mało. Dlatego dwie sale używane do rozwodów, rozpraw o opiekę nad dziećmi, adopcję i mnóstwo innych miały znacznie mniejsze rozmiary niż sale, które musiały pomieścić przysięgłych i tłumy widzów. Zwykle kiedy zbierał się sąd rodzinny, atmosfera stawała się napięta.

I tak też było w ten wtorkowy poranek. Theo i pani Boone zjawili się wcześniej, a kiedy czekali na resztę, matka pozwoliła Theo usiąść przy swoim stole. Ślęczała nad swoimi dokumentami, a Theo zajął się ważnymi sprawami na laptopie. Trójka Finnemore'ów przyszła razem. Pan Gooch, jeden z armii na wpół emerytowanych zastępców szeryfa, który zabijał czas, pracując jako woźny sądowy, skierował Toma Finnemore'a do jego stolika po lewej stronie sali. May Finnemore odesłano do stołu z prawej. April siedziała z panią Boone pośrodku, dokładnie naprzeciwko stołu sędziowskiego.

Theo uznał za dobry znak, że zjawili się wspólnie. Potem się dowiedział, że April przyjechała rowerem, matka swoim żółtym karawanem, tyle że bez małpki, a ojciec przyszedł na piechotę, dla zdrowia. Spotkali się przed frontowymi drzwiami i weszli razem.

W dalszej części korytarza, w wydziale kryminalnym, sędzia Henry Gantry wolał bardziej tradycyjne, trochę dramatyczne wejścia, takie gdy woźny zrywa wszystkich na nogi okrzykiem: „Proszę wstać, sąd idzie!" i takie tam, a sam sędzia wkracza w powiewającej czarnej todze. Theo też tak wolał, nawet jeśli to tylko takie przedstawienie. Istniała spora szansa, że sam kiedyś zostanie wielkim sędzią, właśnie takim jak Henry Gantry, a wtedy na pewno będzie się trzymał bardziej oficjalnego sposobu rozpoczynania posiedzeń.

No bo w końcu, w jakiej innej pracy wszyscy w sali, niezależnie od wieku, zawodu czy wykształcenia, muszą z szacunkiem wstać, kiedy wchodzisz? Theo mógł wymyślić tylko trzy takie zawody – królowej Anglii, prezydenta Stanów Zjednoczonych i sędziego.

Święty Mikuś nie bardzo przejmował się formalnościami. Wszedł bocznymi drzwiami razem z sekretarzem. Usiadł za swoim stołem na wysłużonym skórzanym fotelu i rozejrzał się po sali.

– Dzień dobry – burknął.

Rozległo się kilka wymamrotanych odpowiedzi.

– Pan Tom Finnemore, jak sądzę? – zapytał, spoglądając na ojca April.

Pan Finnemore stanął nonszalancko i oznajmił:

– To ja.

– Witamy w domu.

– Czy potrzebuję prawnika?

– Niech pan siada. Nie, nie potrzebuje pan prawnika. Może później.

Pan Finnemore usiadł z krzywym uśmiechem. Theo spojrzał na niego i spróbował sobie przypomnieć, jak wyglądał na zwariowanej studenckiej imprezie, w ostatnią sobotnią noc. Grał na perkusji, narzędzie pracy częściowo go zasłaniało. Wyglądał dosyć znajomo, ale wtedy Theo nie miał czasu przyglądać się włamowcom. Tom Finnemore był całkiem przystojny, wyglądał nawet dość poważnie. Włożył kowbojskie buty i dżinsy, ale sportową kurtkę miał elegancką.

– A pani to May Finnemore? – zapytał Święty Mikuś, odwracając głową w prawo.

– Tak, Wysoki Sądzie.

– Pani Boone, czy pani jest z April?

– Tak, Wysoki Sądzie.

Święty Mikuś przez kilka chwil wpatrywał się w Theo.

– Theo, co ty tutaj robisz? – zapytał.

– April poprosiła mnie, żebym przyszedł.

– Och, tak? Jesteś świadkiem?

– Mogę być.

Święty Mikuś się uśmiechnął. Okulary do czytania sterczały mu daleko na samym czubku nosa. Kiedy się uśmiechał, co nie zdarzało się często, jego oczy błyszczały i naprawdę wyglądał jak Święty Mikołaj.

– Możesz też być prawnikiem, woźnym sądowym, sekretarzem, prawda, Theo?

– Tak sądzę.

– Możesz także być sędzią i decydować w tej sprawie, prawda?

– Pewnie tak.

– Pani Boone, czy istnieje jakiś uzasadniony prawnie powód, aby pani syn przebywał w sali sądowej w trakcie tej rozprawy?

– Tak naprawdę to nie – odpowiedziała pani Boone.

– Theo, idź do szkoły.

Woźny podszedł do Theo i uprzejmie wskazał ręką drzwi. Theo złapał plecak.

– Dzięki, mamo – powiedział. – Do zobaczenia w szkole – szepnął do April i wyszedł.

Ale wcale nie wybierał się do szkoły. Zostawił plecak na ławce przed salą sądową, pobiegł na dół do bufetu, kupił duże piwo imbirowe w papierowym kubku, pobiegł z powrotem po schodach, a kiedy nikt nie patrzył, upuścił napój na lśniącą, marmurową posadzkę. Lód i korzenny napój rozlały się po podłodze w szerokie koło. Theo nie zwolnił. Pobiegł korytarzem, minął sąd rodzinny, skręcił za róg do małego pokoiku. Pomieszczenie służyło za magazynek i miejsce drzemek pana Speedy'ego Cobba, najstarszego i najbardziej powolnego dozorcy w dziejach hrabstwa Stratten. Tak jak Theo się spodziewał, Speedy odpoczywał, zażywając krótkiej drzemki, nim porwą go codzienne trudy.

– Speedy, upuściłem napój w korytarzu. Straszny bałagan! – powiedział szybko Theo.

– Cześć, Theo, co tu robisz? – Zawsze to samo pytanie. Speedy wstał, chwycił mop.

– Tak się kręcę. Naprawdę, bardzo przepraszam.

Speedy wreszcie poszedł na korytarz, z mopem i wiaderkiem. Podrapał się po podbródku i przyjrzał plamie, jakby całe zadanie miało zająć długie godziny i wymagało wielkich umiejętności. Theo przyglądał mu się kilka sekund, potem wycofał się do pokoiku dozorcy. Ciasna i brudna kanciapa, w której drzemał Speedy, przylegała do nieco większego pomieszczenia, gdzie mieścił się magazynek. Theo szybko wdrapał się na półkę, minął rzędy papierowych ręczników, rolki papieru toaletowego i pudełka ze środkami czystości. Na najwyższej półce była pusta przestrzeń, ciemna, wąska, z wywietrznikiem z boku. Pod tym wywietrznikiem, pięć metrów niżej, stało biurko samego Świętego Mikusia. Theo, ze swojej tajnej kryjówki, o której wiedział tylko on, tego nie widział.

Za to słyszał każde słowo.

Rozdział 24

Na tym posiedzeniu – mówił Święty Mikuś – sąd rozpatrzy sprawę tymczasowego miejsca zamieszkania April Finnemore. Nie opieki prawnej, ale miejsca zamieszkania. Otrzymałem wstępny raport z opieki społecznej, w którym zaleca się umieszczenie April w placówce opiekuńczej, aż do wyjaśnienia innych spraw. Tymi innymi sprawami mogą, podkreślam, mogą być: postępowanie rozwodowe, zarzuty kryminalne przeciwko ojcu, badanie psychiatryczne obojga rodziców i tak dalej. Nie jesteśmy w stanie przewidzieć wszystkich przyszłych kwestii prawnych. Dzisiaj moim zadaniem jest podjęcie decyzji, gdzie umieścić April, kiedy jej rodzice zajmą się wprowadzaniem jakiegoś ładu do swojego życia. Wspomniany wstępny raport kończy się wnioskiem, że April nie jest bezpieczna w domu. Pani Boone, czy miała pani czas, żeby przeczytać ten raport?

– Tak, Wysoki Sądzie.

– Zgadza się pani z nim?

– I tak, i nie, Wysoki Sądzie. Ostatnią noc April spędziła w domu, z obojgiem rodziców i czuła się bezpiecznie. Wieczór wcześniej była w domu z matką i też czuła się bezpiecznie. Ale w zeszłym tygodniu, w poniedziałkową i wtorkową noc, została sama w domu i nie miała pojęcia, gdzie znajduje się każde z jej rodziców. Mniej więcej o północy, we wtorek, pojawił się jej ojciec i dlatego że była przerażona, wyjechała razem z nim. Może, Wysoki Sądzie, powinniśmy wysłuchać rodziców.

– W rzeczy samej. Panie Finnemore, jakie są pańskie plany na najbliższą przyszłość? Zamierza pan zostać w domu czy wyjechać? Ruszyć znowu w trasę ze swoim zespołem rockowym czy wreszcie dać temu spokój? Złożyć pozew o rozwód czy postarać się o jakąś profesjonalną pomoc? To podpowiedź, panie Finnemore. Proszę dać nam jakąś sugestię na temat tego, czego możemy od pana oczekiwać.

Tom Finnemore pochylił się pod nawałem trudnych pytań, którymi nagle go zasypano. Przez dłuższy czas się nie odzywał. Wszyscy czekali, czekali i po chwili już się wydawało, że nie padnie żadna odpowiedź. Kiedy wreszcie się odezwał, głos mu się prawie łamał.

– Wysoki sądzie, sam nie wiem. Po prostu nie wiem. W zeszłym tygodniu zabrałem April, bo była bardzo przerażona i nie mieliśmy pojęcia, gdzie jest May. Jak wyjechaliśmy, dzwoniłem kilka razy, ani razu się nie dodzwoniłem, a po jakimś czasie stwierdziłem, że chyba pora przestać. W ogóle mi nie przyszło do głowy, że całe miasto może uznać, że ją porwano i zamordowano. Z mojej strony to był duży błąd. Naprawdę mi przykro.

Wytarł oczy, odchrząknął.

– Myślę, że rockowe trasy już się skończyły – ciągnął. – To była ślepa uliczka. Sędzio, odpowiadając na pańskie pytanie, zamierzam znacznie dłużej być w domu. Chciałbym spędzić więcej czasu z April, ale nie jestem pewien, czy chcę go spędzać z jej matką.

– Czy rozmawialiście państwo o rozwodzie?

– Wysoki sądzie, pobraliśmy się dwadzieścia cztery lata temu i po raz pierwszy byliśmy w separacji dwa miesiące po ślubie. Rozwód zawsze był gorącym tematem.

– Jaka jest pańska odpowiedź na zawarty w raporcie wniosek, aby April zabrano z pańskiego domu i umieszczono w jakimś bezpiecznym miejscu?

– Proszę, niech pan tego nie robi. Zostanę w domu, obiecuję. Nie jestem pewien, czy May też, ale mogę obiecać sądowi, że jedno z nas będzie z April w domu.

– Panie Finnemore, to brzmi dobrze, ale szczerze mówiąc, akurat teraz nie jest pan dla mnie szczególnie wiarygodny.

– Wiem, Wysoki Sądzie, i rozumiem. Ale proszę jej nie zabierać. – Znowu wytarł oczy i umilkł. Święty Mikuś czekał, a potem odwrócił się w drugą stronę i zapytał:

– A pani?

May Finnemore w obu dłoniach trzymała chusteczkę i wyglądała, jakby płakała od wielu dni. Zanim udało jej się odezwać, coś wymamrotała i zająknęła się.

– Wysoki sądzie, to nie jest jakiś wspaniały dom. To pewnie oczywiste. Ale to jest nasz dom, to dom April. Tam jest jej pokój, jej ubrania, książki i rzeczy. Może nie zawsze są rodzice, ale się poprawimy. Nie możecie zabierać April i dawać jej jakimś obcym. Proszę tego nie robić.

– A jakie są pani plany, pani Finnemore? Dalej to samo czy chce się pani zmienić?

May Finnemore wyjęła z teczki jakieś papiery i podała je woźnemu, a ten każdy z nich wręczył sędziemu, panu Finnemore'owi i pani Boone.

– To pismo od mojego terapeuty. Wyjaśnia, że jestem teraz pod jego opieką i jest optymistycznie nastawiony do moich postępów.

Wszyscy zapoznali się z pismem. Było naszpikowane terminami medycznymi, ale z ostatniej linijki wynikało, że May ma problemy emocjonalne i żeby sobie z nimi poradzić, brała zbyt wiele różnych niewymienionych z nazwy leków.

– Wpisał mnie do programu odwykowego, jako pacjentkę zewnętrzną. Mam badanie co rano o ósmej.

– Kiedy zaczęła pani ten program? – zapytał Święty Mikuś.

– W zeszłym tygodniu. Poszłam zobaczyć się z terapeutą, kiedy zniknęła April. Teraz jest o wiele lepiej, przysięgam, Wysoki Sądzie.

Święty Mikuś odłożył list i spojrzał na April.

– Chciałbym teraz wysłuchać ciebie – powiedział z ciepłym uśmiechem. – April, a co ty myślisz? Czego chcesz?

April odezwała się głosem znacznie mocniejszym niż jej rodzice.

– Wysoki sądzie, to, czego chcę, jest niemożliwe. Chcę tego, co każde dziecko, normalnego domu i normalnej rodziny. Ale tego nie mam. Nie jesteśmy normalni i nauczyłam się już z tym żyć. Mój brat i siostra nauczyli się z tym żyć. Wyjechali z domu tak szybko, jak tylko mogli, i dobrze im się gdzieś tam wiedzie. Dali sobie radę i ja też dam, jeśli dostanę trochę pomocy. Chcę mieć ojca, który nie wyjeżdża na miesiąc bez pożegnania, a potem nie dzwoni do domu. Chcę mieć mamę, która mnie chroni. Potrafię sobie poradzić z mnóstwem różnego wariactwa, dopóki oni nie uciekają. – Głos April zaczął się łamać, ale bardzo chciała dokończyć. – Ja też wyjadę, tak szybko jak tylko będę mogła. Ale do tego czasu, proszę, nie zostawiajcie mnie.

Spojrzała na ojca i zobaczyła tylko łzy. Spojrzała na matkę i zobaczyła to samo.

Święty Mikuś popatrzył na prawnika.

– Pani Boone, pani coś zaleca, jako opiekun April?

– Tak, Wysoki Sądzie, mam propozycję i mam plan – odparła Marcella Boone.

– Nie jestem zaskoczony. Proszę kontynuować.

– Zalecam, żeby April pozostała dzisiaj i jutro w domu, a potem w nim nocowała. Jeśli któreś z rodziców będzie planowało wyjście z domu na noc, musi poinformować mnie o tym z wyprzedzeniem, a ja powiadomię sąd. Zalecam także, aby obydwoje rodzice natychmiast udali się do poradni małżeńskiej. Proponuję doktor Francine Street, moim zdaniem najlepszą w mieście. Pozwoliłam sobie umówić wizytę na dzisiaj, na piątą. Doktor Street będzie mnie informowała o postępach. Jeśli któreś z rodziców nie zjawi się w poradni, wtedy zostanę natychmiast powiadomiona. Skontaktuję się z nowym terapeutą pani Finnemore i poproszę o informowanie o postępach w odwyku.

Święty Mikuś pogłaskał się po brodzie.

– To mi się podoba – powiedział. – A co pan o tym sądzi, panie Finnemore?

– Wysoki sądzie, to brzmi rozsądnie.

– A pani, pani Finnemore?

– Panie sędzio, zgodzę się na wszystko, tylko proszę jej nie zabierać.

– A więc postanowione. Pani Boone, coś jeszcze?

– Tak, Wysoki Sądzie. Załatwiłam April telefon komórkowy. Jeżeli coś się stanie, jeśli poczuje się zagrożona czy cokolwiek, wtedy może natychmiast do mnie zadzwonić. Jeśli z jakiegoś powodu będę akurat niedostępna, może zadzwonić do mojego asystenta albo do kogoś z tego wydziału. Poza tym jestem pewna, że zawsze zdoła znaleźć Theo.

Święty Mikuś zastanowił się chwilę i uśmiechnął, a potem oznajmił:

– A ja jestem pewien, że Theo zawsze zdoła znaleźć ją.

Pięć metrów wyżej, w ciemnych czeluściach sądu hrabstwa Stratten, Theodore Boone uśmiechnął się do siebie.

Rozprawę zakończono.

Speedy wrócił, szurając nogami po zatłoczonej kanciapie, mruknął do siebie, kiedy odstawiał mop i niechcący wywrócił kubeł. Theo znalazł się w pułapce, a teraz naprawdę chciał wyjść z sądu i pójść do szkoły. Czekał. Mijały minuty, potem usłyszał znajome chrapanie Speedy'ego, który jak zwykle szybko zasnął. Po cichu zszedł z półek i wylądował na podłodze. Speedy rozwalił się w swoim ulubionym fotelu. Czapkę zsunął na oczy, usta miał otwarte, obojętny na resztę świata. Theo odprężył się i wymknął. Pospieszył szerokim korytarzem, prawie już dotarł do szerokich zakręcających schodów, kiedy usłyszał, że ktoś go woła. Henry Gantry, jego ulubiony sędzia.

– Theo! – zawołał głośno.

Theo zatrzymał się, odwrócił i ruszył w stronę sędziego.

Henry Gantry się nie uśmiechał, ale w ogóle rzadko to robił. Niósł jakąś grubą teczkę, nie miał czarnej togi.

– Dlaczego nie jesteś w szkole? – zapytał.

Theo już nieraz wagarował albo wymigiwał się od szkoły, żeby obejrzeć sobie proces i co najmniej dwa razy dał się przyłapać w sądzie na gorącym uczynku.

– Byłem w sądzie z mamą – wyjaśnił, poniekąd zgodnie z prawdą. Spoglądał w górę. Sędzia Gantry spoglądał w dół.

– Czy to ma coś wspólnego ze sprawą April Finnemore? – zapytał Gantry.

Strattenburg nie był dużym miastem i niewiele rzeczy pozostawało w nim tajemnicą, zwłaszcza wśród prawników, sędziów i policjantów.

– Tak, proszę pana.

– Słyszałem, że znalazłeś tę dziewczynę i sprowadziłeś do domu – powiedział sędzia, po raz pierwszy nieznacznie się uśmiechając.

– Coś w tym stylu – skromnie odparł Theo.

– Dobra robota, Theo.

– Dziękuję.

– Tak do twojej wiadomości, początek procesu Duffy'ego wyznaczyłem za sześć tygodni. Pewnie chcesz siedzieć w pierwszym rzędzie.

Theo nie wiedział, co ma powiedzieć. Pierwszy proces podejrzanego o morderstwo Pete'a Duffy'ego był największym w historii miasta, a dzięki Theo zakończył się unieważnieniem postępowania. Drugi zapowiadał się na jeszcze bardziej emocjonujący.

– Jasne, panie sędzio – wykrztusił wreszcie.

– Porozmawiamy o tym później. Idź do szkoły.

– Jasne. – Theo zbiegł ze schodów, wskoczył na rower i pędem odjechał spod sądu. Umówił się z April na lunch. Planowali, że w południe spotkają się pod szkolną stołówką, potem wymkną do starej sali gimnastycznej, gdzie nikt ich nie znajdzie.

Pani Boone zapakowała mu wegetariańskie kanapki, ulubione April i raczej nielubione Theo, a do tego ciastka z masłem orzechowym.

Theo chciał poznać wszystkie szczegóły uprowadzenia.